#홈스쿨링
#초등 영어 기초력

요즘은 혼공시대!
사교육 없이도 영어 기초력을 탄탄하게 쌓아 올리는 법,
똑똑한 하루 VOCA가 정답입니다.
똑똑한 엄마들이 선택하는 똑똑한 교재!
엄마들의 영어 고민을 덜어 줄 어휘 교재로 강추합니다.

영어책 만드는 엄마_ **이지은**

영어는 스스로 재미를 느끼며 공부해야 실력이 늘어요.
똑똑한 하루 VOCA는 자기주도학습을 매일 실천할 수 있도록
설계되어 있어, 따라 하기만 해도 공부 습관을 키울 수 있어요.
재미있는 만화와 이미지 연상을 통해 영어 단어를 오래
기억하며 알차게 공부할 수 있어요.

미쉘 Michelle TV_ **김민주**

#알파벳과 파닉스부터 #교과서의 단어와 문장까지 #똑똑하게 초등 어휘 완성하기

똑똑한 하루 VOCA 시리즈 구성 (Level 1~4)

Level 1 A, B	Level 2 A, B	Level 3 A, B	Level 4 A, B
3학년 과정	4학년 과정	5학년 과정	6학년 과정

4주 완성 스케줄표

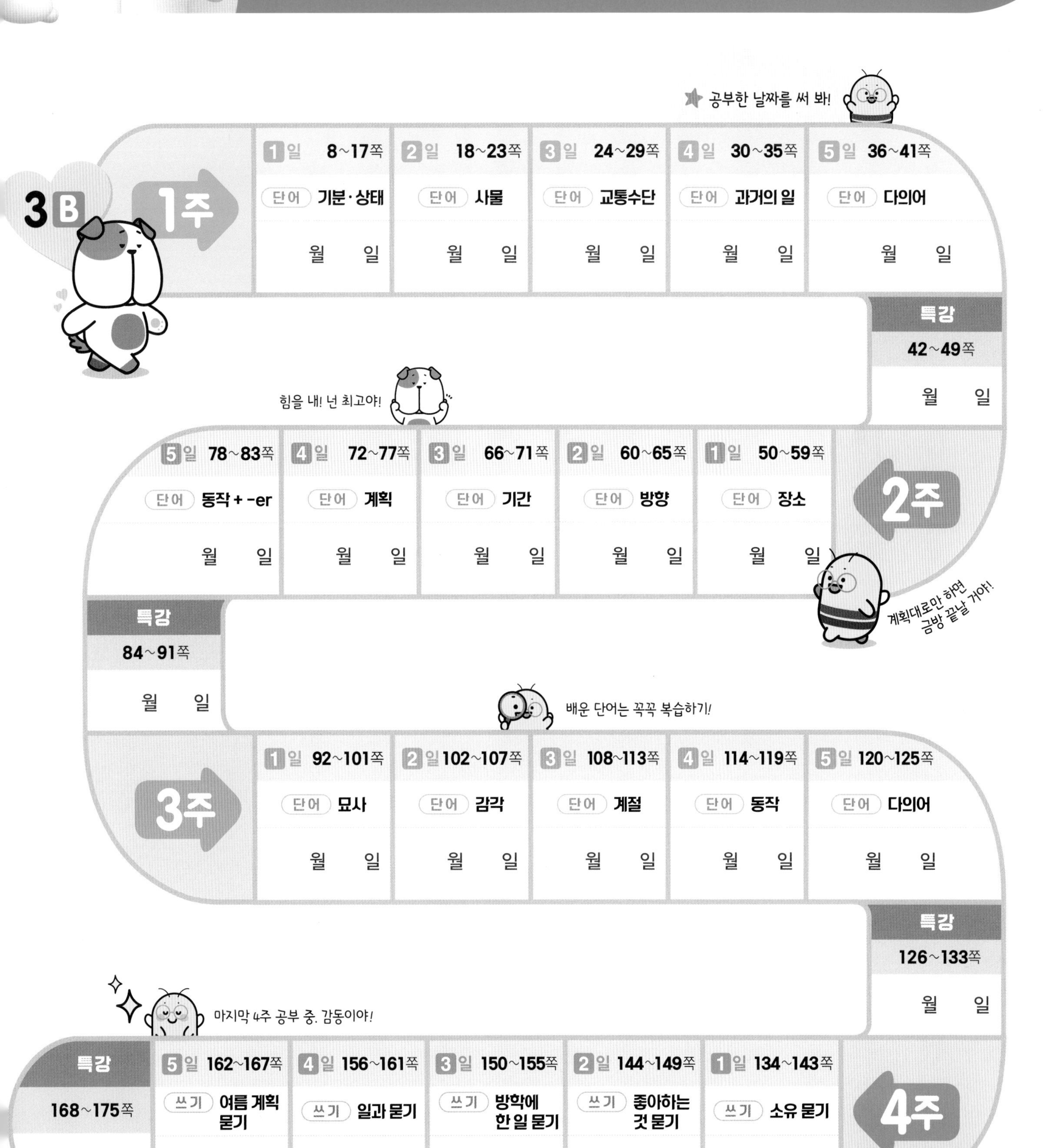

3B
공부한 날짜를 써 봐!
힘을 내! 넌 최고야!
계획대로만 하면 금방 끝날 거야!
배운 단어는 꼭꼭 복습하기!
마지막 4주 공부 중. 감동이야!

1주

1일 8~17쪽	2일 18~23쪽	3일 24~29쪽	4일 30~35쪽	5일 36~41쪽	특강 42~49쪽
단어 기분·상태	단어 사물	단어 교통수단	단어 과거의 일	단어 다의어	
월 일	월 일	월 일	월 일	월 일	월 일

2주

1일 50~59쪽	2일 60~65쪽	3일 66~71쪽	4일 72~77쪽	5일 78~83쪽	특강 84~91쪽
단어 장소	단어 방향	단어 기간	단어 계획	단어 동작 + -er	
월 일	월 일	월 일	월 일	월 일	월 일

3주

1일 92~101쪽	2일 102~107쪽	3일 108~113쪽	4일 114~119쪽	5일 120~125쪽	특강 126~133쪽
단어 묘사	단어 감각	단어 계절	단어 동작	단어 다의어	
월 일	월 일	월 일	월 일	월 일	월 일

4주

1일 134~143쪽	2일 144~149쪽	3일 150~155쪽	4일 156~161쪽	5일 162~167쪽	특강 168~175쪽
쓰기 소유 묻기	쓰기 좋아하는 것 묻기	쓰기 방학에 한 일 묻기	쓰기 일과 묻기	쓰기 여름 계획 묻기	
월 일	월 일	월 일	월 일	월 일	월 일

똑똑한 하루 VOCA 3B

똑똑한 QR앱 사용법

앱을 다운 받으세요.

방법 1

QR 음원 편리하게 듣기

1. 앱 실행하기
2. 교재의 QR 코드 찍기

링크 없이 음원이 자동 재생!

방법 2

모든 음원 바로 듣기

1. 앱 우측 하단의 + 버튼 클릭
2. 해당 Level → 주 → 일 클릭!

원하는 음원 찾아 듣기와 찬트 모아 듣기 가능!

Chunjae Makes Chunjae

똑똑한 하루 VOCA 3B

편집개발 김윤미, 하유미, 한새미, 박영미
디자인총괄 김희정
표지디자인 윤순미, 박민정
내지디자인 박희춘, 이혜미
삽화 이준희, 이선화, 베로니카, 오연주
제작 황성진, 조규영

발행일 2021년 4월 1일 초판 2022년 10월 1일 2쇄
발행인 (주)천재교육
주소 서울시 금천구 가산로9길 54
신고번호 제2001-000018호
고객센터 1577-0902

※ 정답 분실 시에는 천재교육 교재 홈페이지에서 내려받으세요.
※ KC 마크는 이 제품이 공통안전기준에 적합하였음을 의미합니다.
※ 주의
책 모서리에 다칠 수 있으니 주의하시기 바랍니다.
부주의로 인한 사고의 경우 책임지지 않습니다.
8세 미만의 어린이는 부모님의 관리가 필요합니다.

똑 똑 한

하루 VOCA

3B

5학년 영어

똑똑한 하루 VOCA ★ LEVEL 3 B ★

구성과 활용 방법

한 주 미리보기

미리보기 만화

미리보기 활동

단어 1~3주

step 1

재미있는 만화를 읽으며
오늘 배울 단어의 의미를 추측해요.

step 2

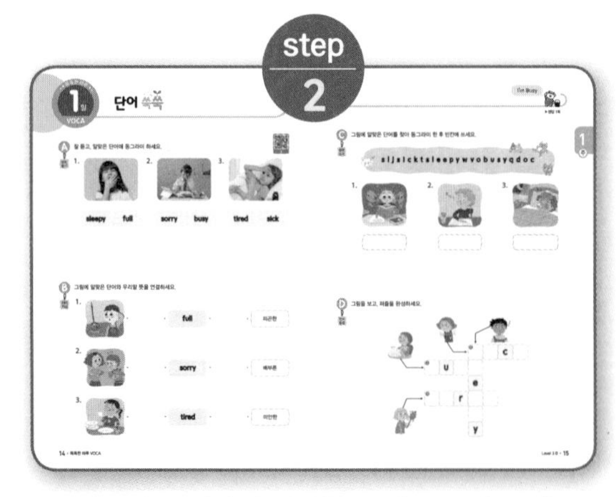

듣기부터 쓰기까지 다양한 문제를 풀어 보며
단어를 익혀요.

step 3

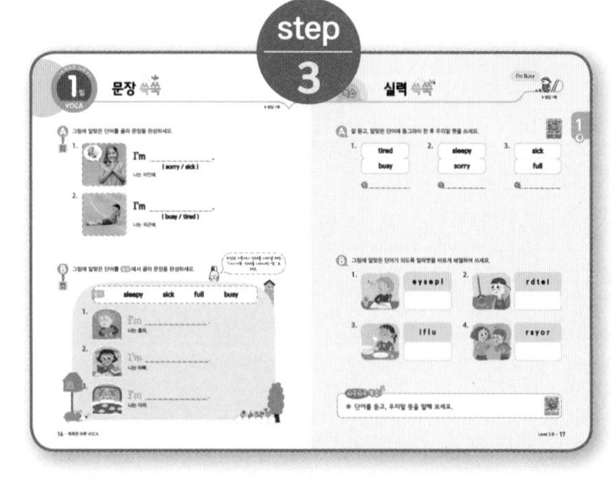

• 의미를 생각하며 문장 속에서 단어를 익혀요.
• 오늘 배운 단어를 복습하며 확인해요.

QR앱을 다운 받아 보세요!

재미있는 만화를 읽으며
오늘 배울 표현의 의미를 추측해요.

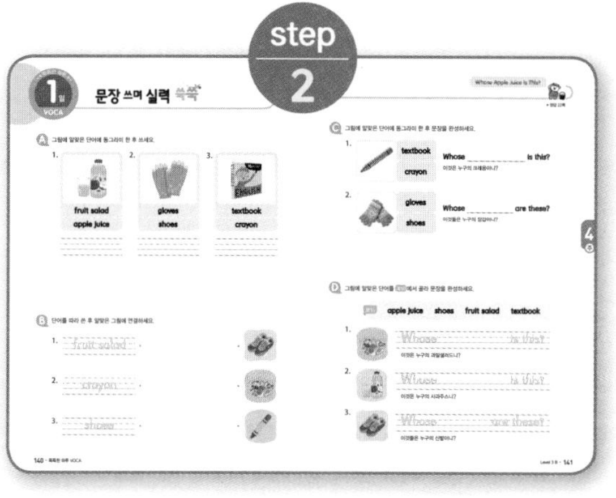

단어와 표현의 의미를 생각하며 문장을 써요.

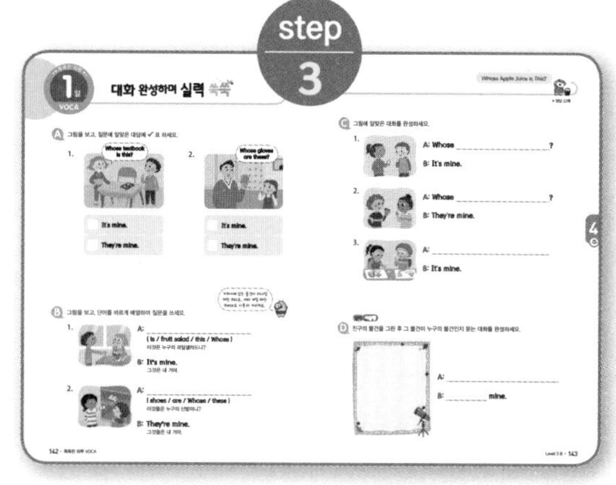

- 배운 표현의 의미를 생각하며 대화를 완성해요.
- 스스로 생각해서 문장을 써요.

Brain Game Zone

한 주 동안 배운 내용을 창의·사고력 게임으로
재미는 두 배, 사고력은 UP!

말판 놀이

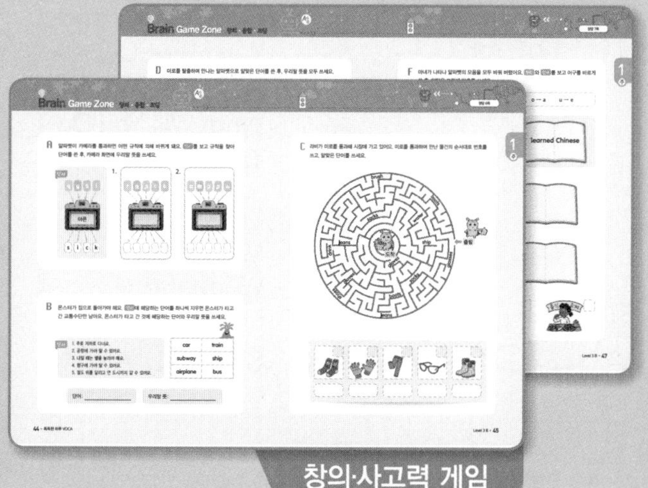

창의·사고력 게임

똑똑한 하루 VOCA

공부할 내용

1주 단어

2주 단어

3주
단어

4주
쓰기

스페셜

SPECIAL VOCA 미리 보기

반의어

서로 반대되는 뜻을 가진 단어를 말해요.

예 'cold(춥다)'와 'hot(덥다)'은 온도의 높고 낮음을 나타내는 반의어예요.

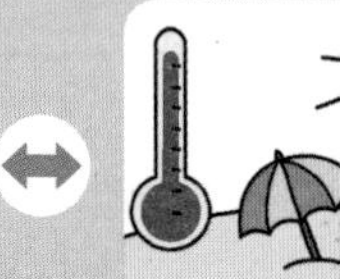

복합어

두 개 이상의 단어가 합쳐져서 새롭게 만들어진 단어를 말해요.

예 'snow(눈)'와 'man(남자)'이 합쳐져서 복합어 'snowman(눈사람)'이 돼요.

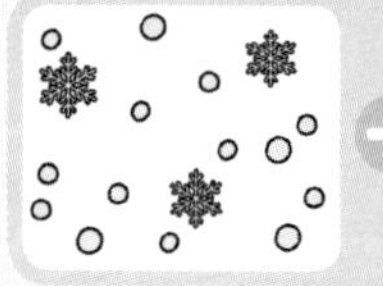

구동사

두 개 이상의 단어가 합쳐져서 새로운 의미의 동작을 나타내는 어구를 말해요.

예 'put(놓다)'과 'on(~ 위에)'이 함께 쓰여 'put on(입다, 신다)'이 돼요.

put + on =

다의어

두 가지 이상의 뜻을 가진 단어를 말해요.

예 fall은 '가을'이라는 뜻도 있지만 '떨어지다'라는 뜻도 있어요.

❶ 

❷ 

함께 공부할 친구들

지구의 모든 것이 궁금한
장난꾸러기 외계인

좋아하는 것: 지구인 돕기
싫어하는 것: 일찍 일어나기
잘하는 것: 텔레파시 보내기

라비의
단짝 친구

쪼꼬

좋아하는 것: 지구의 맛있는 벌레
싫어하는 것: 우주선 밖으로 나오기
잘하는 것: 라비 챙기기

용기 있는
의리파 친구

유주

나이: 12살
좋아하는 것: 친구들 초대하기
싫어하는 것: 게임에서 지는 것

소심하지만 아는 것이
많은 척척박사

나이: 12살
좋아하는 것: 깜짝 퀴즈 내기
싫어하는 것: 시간 낭비

마음이 따뜻하고
잘 베푸는 친구

나이: 12살
좋아하는 것: 지구의 모든 음식
싫어하는 것: 외계 음식

1 주

1주에는 무엇을 공부할까? 1

재미있는 이야기로 이번 주에 공부할 내용을 알아보세요.

- 1일 I'm Busy 기분·상태
- 2일 How Much Are the Shoes? 사물
- 3일 Take an Airplane 교통수단
- 4일 I Made Cookies During the Vacation 과거의 일
- 5일 SPECIAL VOCA 다의어

1주에는 무엇을 공부할까? ❷

◉ 여러분이 오늘 가장 많이 느낀 기분이나 상태에 동그라미 해 보세요.

busy

sick

full

sorry

sleepy

tired

B

더듬이를 감추면
인간처럼 보일까 해서
모자를 하나 샀어.
얼만데?

2만원이야.
짠! 나 어때?
그게 뭐야?
더듬이가 다
보이잖아.
척

차라리 이 모자가
더 인간 같아 보이지
않아? 싸게 줄게.
헉!
대머리 가발

◉ 여러분이 가격을 물어본 적이 있는 물건에 동그라미 해 보세요.

shoes

socks

boots

gloves

jeans

glasses

나는 바빠

I'm Busy 단어

재미있는 이야기로 오늘 배울 단어를 만나 보세요.

오늘 배울 단어를 듣고 따라 말한 후, 써 보세요.

busy
바쁜

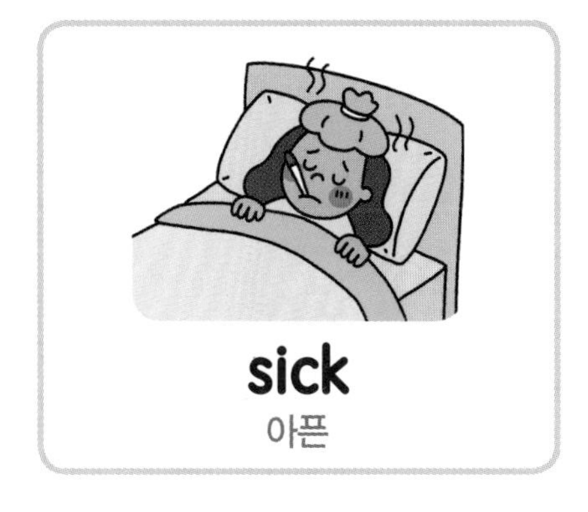

sick
아픈

full
배부른

sorry
미안한

sleepy
졸린

tired
피곤한

위의 그림을 짚으며 챈트 해 보세요.

단어 쑥쑥

잘 듣고, 알맞은 단어에 동그라미 하세요.

1. 

sleepy　full

2. 

sorry　busy

3. 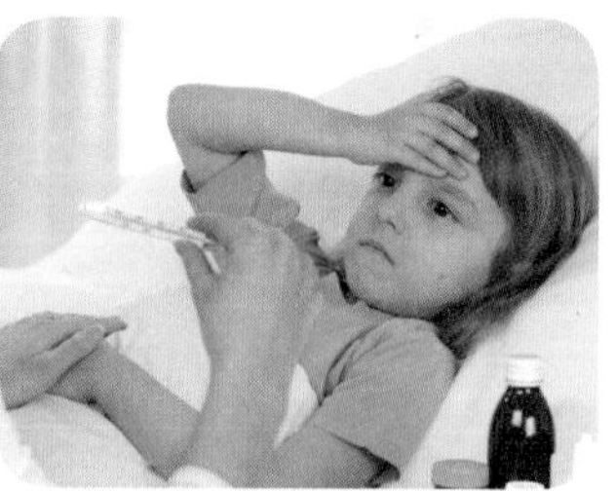

tired　sick

그림에 알맞은 단어와 우리말 뜻을 연결하세요.

1. 	full	피곤한
2. 	sorry	배부른
3. 	tired	미안한

▶정답 1쪽

C 그림에 알맞은 단어를 찾아 동그라미 한 후 빈칸에 쓰세요.

단어 쓰기

s l j s i c k t s l e e p y w v o b u s y q d o c

1.

2.

3.

D 그림을 보고, 퍼즐을 완성하세요.

단어 완성

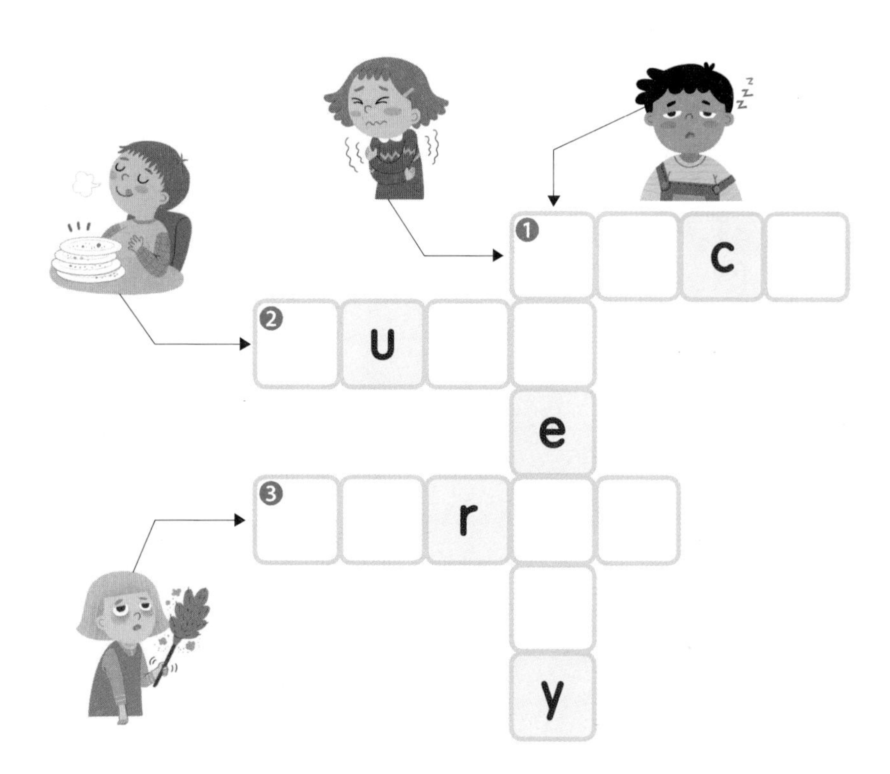

문장 쑥쑥

▶정답 1쪽

A 그림에 알맞은 단어를 골라 문장을 완성하세요.

1. 

I'm ______________ .

(sorry / sick)

나는 미안해.

2. I'm ______________ .

(busy / tired)

나는 피곤해.

B 그림에 알맞은 단어를 보기 에서 골라 문장을 완성하세요.

자신의 기분이나 상태를 나타낼 때는 'I'm+기분·상태를 나타내는 말.'로 해요.

문장 쓰기

보기 sleepy sick full busy

1. 

I'm ______________ .

나는 졸려.

2. 

I'm ______________ .

나는 바빠.

3. 

I'm ______________ .

나는 아파.

실력 쑥쑥

A 잘 듣고, 알맞은 단어에 동그라미 한 후 우리말 뜻을 쓰세요.

4

1. tired / busy
뜻 ________

2. sleepy / sorry
뜻 ________

3. sick / full
뜻 ________

B 그림에 알맞은 단어가 되도록 알파벳을 바르게 배열하여 쓰세요.

1. 
e y s e p l
____

2. 
r d t e i
____

3. 
l f l u
____

4. 
r s y o r
____

차곡차곡 복습!

◉ 단어를 듣고, 우리말 뜻을 말해 보세요.

5

그 신발은 얼마야?

How Much Are the Shoes?

단어

재미있는 이야기로 오늘 배울 단어를 만나 보세요.

오늘 배울 단어를 듣고 따라 말한 후, 써 보세요.

1

shoes
신발

socks
양말

boots
부츠

gloves
장갑

jeans
청바지

glasses
안경

위의 그림을 짚으며 찬트 해 보세요.

단어 쑥쑥

잘 듣고, 알맞은 단어를 골라 기호를 쓰세요.

ⓐ socks ⓑ gloves ⓒ boots

1. 

2. 

3. 

B 그림에 알맞은 단어를 연결하세요.

의미 연결

1. 
안경

2. 
신발

- gloves
- glasses
- jeans
- shoes

3. 
청바지

4.
장갑

▶정답 2쪽

C 그림에 알맞은 단어를 보기에서 골라 쓰세요.

단어 쓰기

보기 jeans gloves boots glasses

1. ____________

2. ____________

3. ____________

4. ____________

D 잘 듣고, 그림에 알맞은 단어를 완성하세요.

단어 완성

1. 

b ☐ ☐ ts

2. 

☐ oc ☐ s

3. 

☐ ☐ oes

문장 쑥쑥

▶정답 2쪽

그림에 알맞은 단어를 골라 문장을 완성하세요.

1.

How much are the ________?
(shoes / jeans)

그 청바지는 얼마야?

2.

How much are the ________?
(glasses / socks)

그 안경은 얼마야?

짝을 이루는 물건의 가격을 물을 때는 'How much are the+물건 이름?'으로 해요.

B 그림에 알맞은 단어를 보기 에서 골라 문장을 완성하세요.

문장 쓰기

보기	jeans	socks	gloves	boots

1. How much are the ________?
그 부츠는 얼마야?

2. How much are the ________?
그 양말은 얼마야?

3. How much are the ________?
그 장갑은 얼마야?

복습 실력 쑥쑥

▶정답 2쪽

A 잘 듣고, 알맞은 단어에 동그라미 한 후 우리말 뜻을 쓰세요.

5

1. socks / shoes

뜻 ____________

2. gloves / jeans

뜻 ____________

3. glasses / boots

뜻 ____________

B 그림에 알맞은 단어가 되도록 알파벳을 바르게 배열하여 쓰세요.

1. 

s k c o s

2. 

o b s t o

3. 

h s e o s

4. 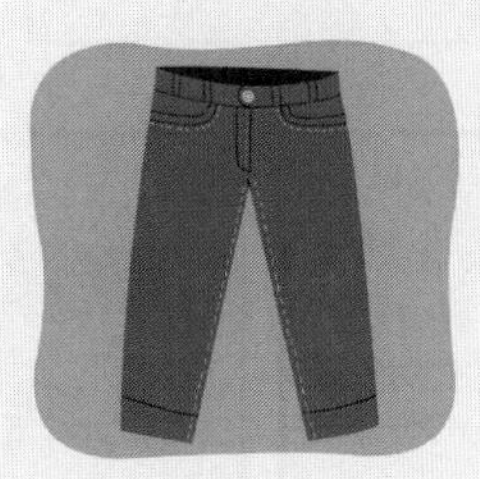

e s j n a

차곡차곡 복습!

◉ 단어를 듣고, 우리말 뜻을 말해 보세요.

6

비행기를 타

Take an Airplane 단어

재미있는 이야기로 오늘 배울 단어를 만나 보세요.

오늘 배울 단어를 듣고 따라 말한 후, 써 보세요.

car
자동차

bus
버스

ship
배

train
기차

airplane
비행기

subway
지하철

위의 그림을 짚으며 찬트 해 보세요.

단어 쑥쑥

잘 듣고, 알맞은 단어에 동그라미 하세요.

1. 

car airplane

2. 

train ship

3. 

bus subway

그림에 알맞은 단어와 우리말 뜻을 연결하세요.

1. 

2. 

3. 

ship	지하철
subway	배
car	자동차

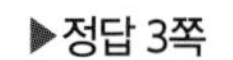
▶정답 3쪽

C 그림에 알맞은 단어를 찾아 동그라미 한 후 빈칸에 쓰세요.

단어 쓰기

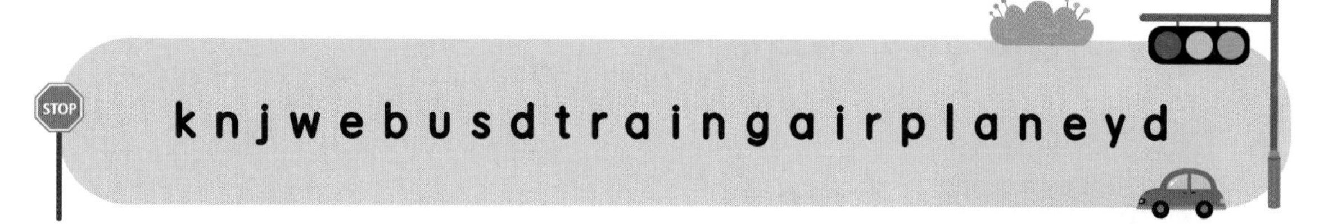

1. 

2. 

3. 

D 그림을 보고, 퍼즐을 완성하세요.

단어 완성

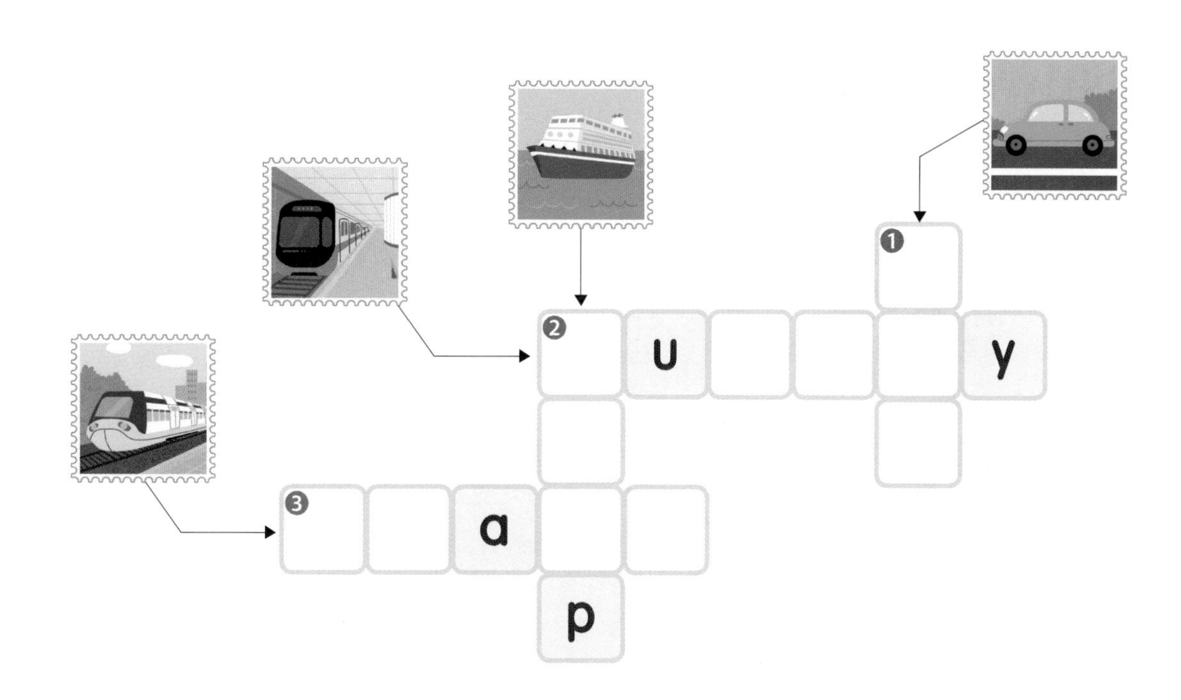

문장 쑥쑥

▶정답 3쪽

A 그림에 알맞은 단어를 골라 문장을 완성하세요.

1. Take a ________________.
(ship / airplane)
배를 타.

2. Take the ________________.
(car / subway)
지하철을 타.

B 그림에 알맞은 단어를 보기에서 골라 문장을 완성하세요.

문장 쓰기

어떤 교통수단을 타라고 말할 때는 'Take a(n)/the + 교통수단 이름.'으로 표현해요.

보기 car airplane ship train

1. Take an ________________.
비행기를 타.

2. Take a ________________.
기차를 타.

3. Take a ________________.
자동차를 타.

실력 쑥쑥

▶정답 3쪽

A 잘 듣고, 알맞은 단어에 동그라미 한 후 우리말 뜻을 쓰세요.

1. airplane / car
뜻 ________

2. bus / subway
뜻 ________

3. train / ship
뜻 ________

B 그림에 알맞은 단어가 되도록 알파벳을 바르게 배열하여 쓰세요.

1. 
h p s i

2. 
e i p a l a r n

3. 
a t i r n

4. 
y s b u a w

◉ 단어를 듣고, 우리말 뜻을 말해 보세요.

나는 방학 동안에 쿠키를 만들었어

I Made Cookies During the Vacation

단어

재미있는 이야기로 오늘 배울 어구를 만나 보세요.

오늘 배울 어구를 듣고 따라 말한 후, 써 보세요.

saw sea birds
바닷새를 보았다

learned Chinese
중국어를 배웠다

joined a book club
독서동아리에 가입했다

ate delicious food
맛있는 음식을 먹었다

went to the museum
박물관에 갔다

made cookies
쿠키를 만들었다

위의 그림을 짚으며 찬트 해 보세요.

단어 쑥쑥

A 잘 듣고, 알맞은 어구에 동그라미 하세요.

1. 

saw sea birds
joined a book club

2. 

made cookies
ate delicious food

3. 

learned Chinese
went to the museum

B 그림에 알맞은 어구를 연결하세요.

1. 

맛있는 음식을 먹었다

2. 

중국어를 배웠다

3. 

바닷새를 보았다

4. 

쿠키를 만들었다

- learned Chinese
- ate delicious food
- made cookies
- saw sea birds

▶정답 4쪽

C 그림에 알맞은 어구를 보기에서 골라 쓰세요.

어구 쓰기

보기 made cookies ate delicious food saw sea birds

1. ______
2. ______
3. ______

D 잘 듣고, 그림에 알맞은 어구를 완성하세요.

어구 완성

1. 

__ o __ ned a boo __ c __ __ b

2. 

__ e __ t to the mu __ e __ m

3. 

l __ __ rned C __ i __ ese

문장 쑥쑥

▶정답 4쪽

A 그림에 알맞은 어구를 골라 문장을 완성하세요.

문장 완성

1.

I ______________ during the vacation.

(ate delicious food / made cookies)

나는 방학 동안에 맛있는 음식을 먹었어.

2.

I ______________ during the vacation.

(learned Chinese / saw sea birds)

나는 방학 동안에 중국어를 배웠어.

'나는 ~ 했어.'라고 과거에 한 일을 말할 때는 'I+동작을 나타내는 말의 과거형 ~.'으로 해요.

B 그림에 알맞은 어구를 보기 에서 골라 문장을 완성하세요.

문장 쓰기

보기 joined a book club   went to the museum   made cookies

1.

I ______________ during the vacation.

나는 방학 동안에 박물관에 갔었어.

2.

I ______________ during the vacation.

나는 방학 동안에 독서 동아리에 가입했어.

3.

I ______________ during the vacation.

나는 방학 동안에 쿠키를 만들었어.

실력 쑥쑥

▶정답 4쪽

A 잘 듣고, 알맞은 어구에 동그라미 한 후 우리말 뜻을 쓰세요.

1. ate delicious food / learned Chinese → 뜻

2. made cookies / went to the museum → 뜻

3. joined a book club / saw sea birds → 뜻

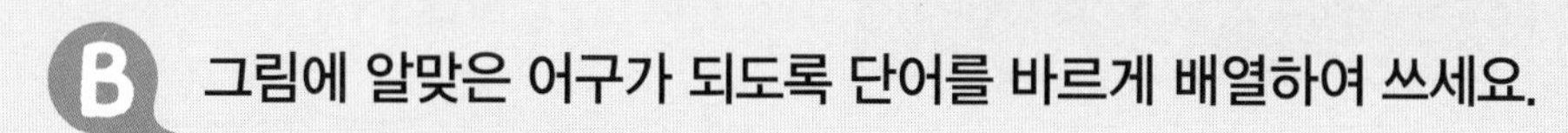

B 그림에 알맞은 어구가 되도록 단어를 바르게 배열하여 쓰세요.

1. ______________________
(to / went / museum / the)

2. 

____
(a / book / joined / club)

3. 

____
(delicious / ate / food)

차곡차곡 복습!

◉ 단어나 어구를 듣고, 우리말 뜻을 말해 보세요.

스페셜 SPECIAL VOCA

여러 가지의 뜻을 가진 **다의어**

재미있는 이야기로 오늘 배울 단어를 만나 보세요.

오늘 배울 단어를 들으며 따라 말해 보세요.

brush
❶ 빗
❷ 빗질하다

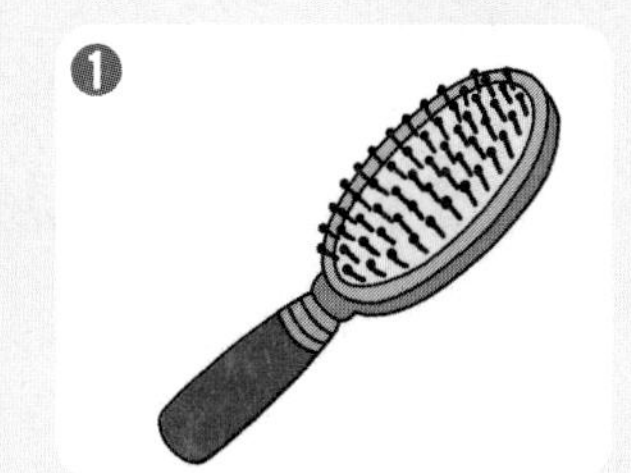

drink
❶ 음료
❷ 마시다

plant
❶ 식물
❷ (나무 등을) 심다

water
❶ 물
❷ 물을 주다

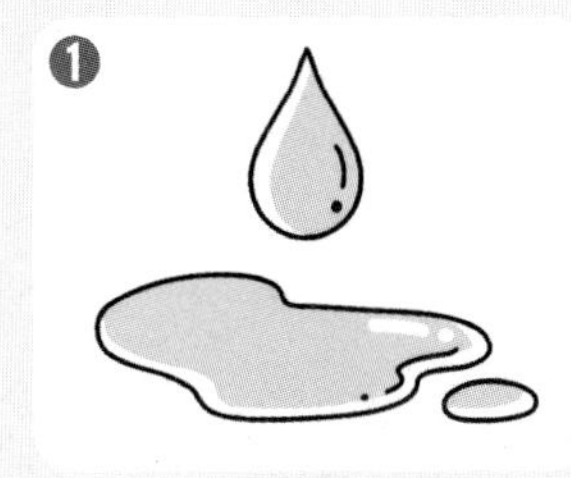

위의 그림을 짚으며 찬트 해 보세요.

단어 쑥쑥

A 잘 듣고, 알맞은 단어를 골라 기호를 쓰세요.

ⓐ drink ⓑ plant ⓒ brush

1. 

2. 

3. 

B 그림에 알맞은 단어를 연결하세요.

1.  

음료 마시다

2.  

물 물을 주다

- water
- drink
- brush
- plant

▶정답 5쪽

C 그림에 알맞은 단어를 보기 에서 골라 쓰세요.

단어 쓰기

보기 water plant drink brush

1.

2.

3.

4.

D 잘 듣고, 그림에 알맞은 단어를 완성하세요.

4

단어 완성

1.

b __ us __

2.

__ __ ant

단어 쑥쑥 플러스

▶정답 5쪽

◉ 단어를 따라 쓴 후, 알맞은 뜻을 모두 찾아 연결하세요.

1. brush

마시다

음료

2. drink

빗질하다

식물

3. water

(나무 등을) 심다

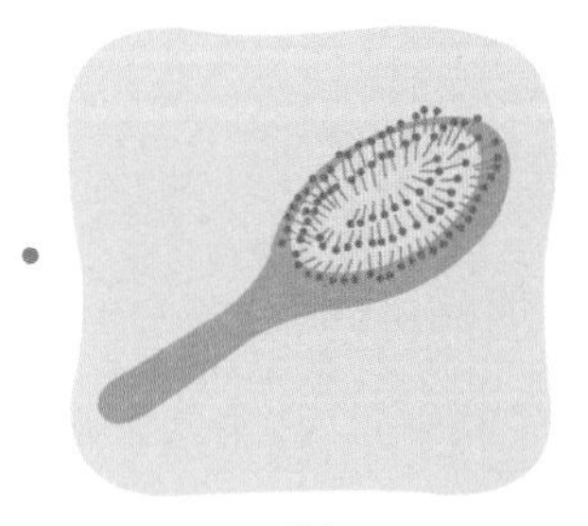

빗

4. plant

물을 주다

물

실력 쑥쑥

▶정답 5쪽

A 잘 듣고, 알맞은 단어에 동그라미 한 후 우리말 뜻을 쓰세요.

1. brush / water 뜻 ______
2. plant / drink 뜻 ______
3. water / brush 뜻 ______

B 그림에 알맞은 단어가 되도록 알파벳을 바르게 배열하여 쓰세요.

1.   a t l n p ______

2.   a e w r t ______

3.   n r k i d ______

차곡차곡 복습!

◉ 단어나 어구를 듣고, 우리말 뜻을 말해 보세요.

창의 · 융합 · 코딩

Brain Game Zone

배운 내용을 떠올리며 말판 놀이를 해 보세요.

START
1. 그림을 보고 알맞은 단어에 동그라미 하세요.
boots
gloves
2. 단어를 읽고 알맞은 우리말 뜻과 연결하세요.
train
ship
배
기차
3. 그림과 단어가 일치하면 ○ 표, 일치하지 않으면 × 표 하세요.
tired
4. 그림을 보고 알파벳을 바르게 배열하여 단어를 쓰세요.
kscos
→ ____________
5. 그림에 알맞은 단어를 완성하세요.
s__b__ay
6. 어구를 읽고 알맞은 그림에 동그라미 하세요.
went to the museum

7. 그림을 보고 알맞은 단어에 동그라미 하세요.
sick
full
8. 그림을 보고 알파벳을 바르게 배열하여 단어를 쓰세요.
ikdnr
→ ________
9. 단어를 읽고 알맞은 그림에 동그라미 하세요.
sorry
10. 단어를 읽고 알맞은 우리말 뜻과 연결하세요.
water
brush
빗, 빗질하다
물, 물을 주다
11. 그림과 어구가 일치하면 ○ 표, 일치하지 않으면 × 표 하세요.
learned Chinese
12. 그림에 알맞은 단어를 완성하세요.
__irp__a__e
FINISH

A

알파벳이 카메라를 통과하면 어떤 규칙에 의해 바뀌게 돼요. 단서를 보고 규칙을 찾아 단어를 쓴 후, 카메라 화면에 우리말 뜻을 쓰세요.

1.

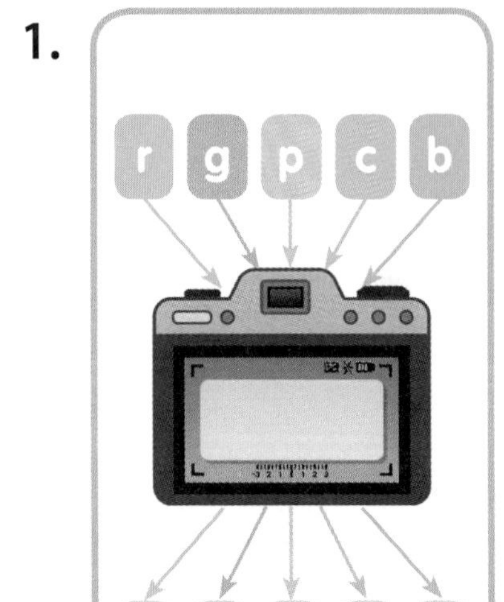

2.

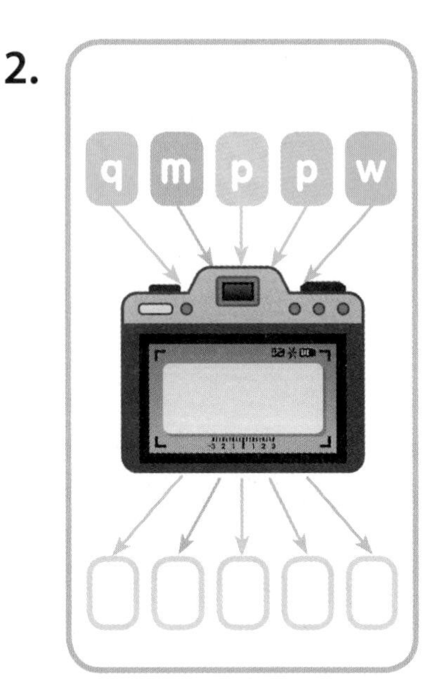

B

몬스터가 집으로 돌아가야 해요. 단서에 해당하는 단어를 하나씩 지우면 몬스터가 타고 간 교통수단만 남아요. 몬스터가 타고 간 것에 해당하는 단어와 우리말 뜻을 쓰세요.

단서
1. 주로 지하로 다녀요.
2. 공항에 가야 탈 수 있어요.
3. 내릴 때는 벨을 눌러야 해요.
4. 항구에 가야 탈 수 있어요.
5. 철도 위를 달리고 먼 도시까지 갈 수 있어요.

car	train
subway	ship
airplane	bus

단어: ____________ 우리말 뜻: ____________

C 라비가 미로를 통과해 시장에 가고 있어요. 미로를 통과하며 만난 물건의 순서대로 번호를 쓰고, 알맞은 단어를 쓰세요.

D 미로를 탈출하며 만나는 알파벳으로 알맞은 단어를 쓴 후, 우리말 뜻을 모두 쓰세요.

1.

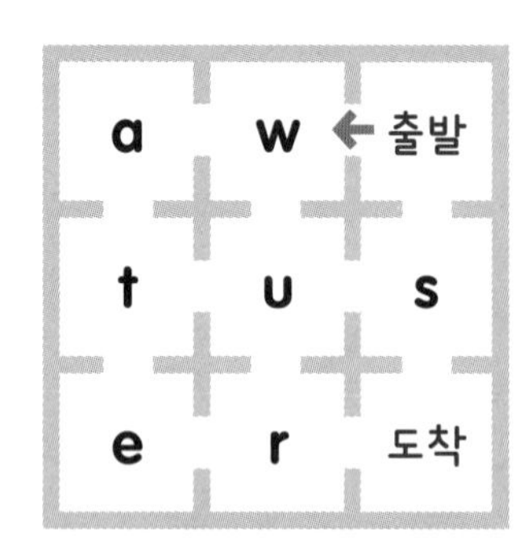

단어:

뜻1:

뜻2:

2.

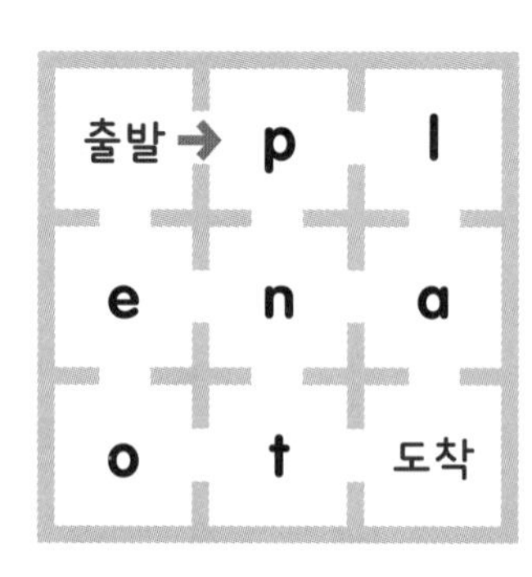

단어:

뜻1:

뜻2:

E 도진이의 강아지가 광고 전단지를 밟아 단어의 일부가 지워졌어요. 단서를 참고하여 지워진 글자를 찾아 단어를 쓰세요.

1. ________ 2. ________

3. ________ 4. ________

F 마녀가 나타나 알파벳의 모음을 모두 바꿔 버렸어요. 힌트 와 단서 를 보고 어구를 바르게 쓴 후, 알맞은 그림에 번호를 쓰세요.

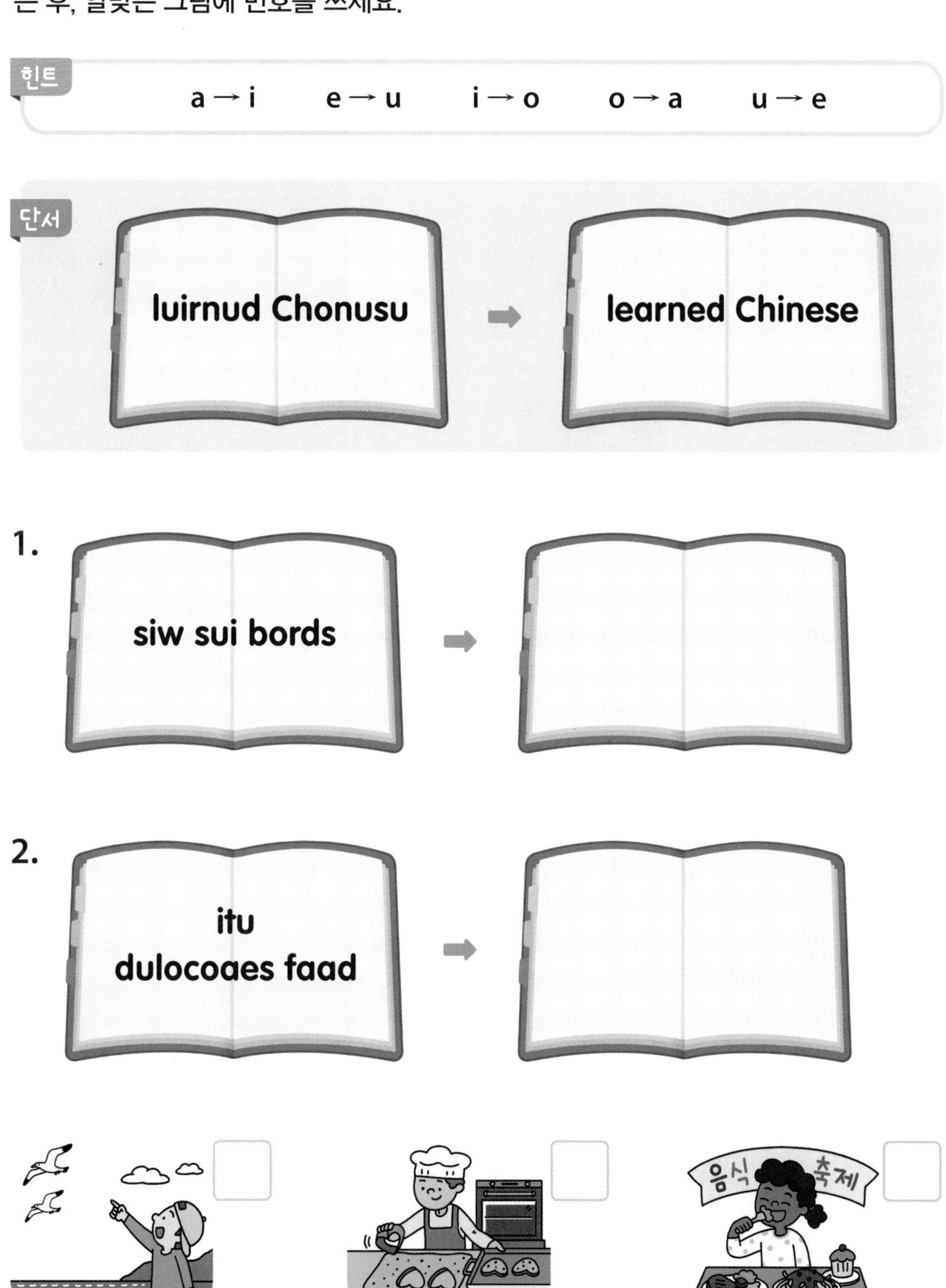

1주 누구나 100점 TEST

1 단어에 알맞은 그림을 고르세요.

train

① 
② 
③ 
④ 

2 그림에 알맞은 단어를 고르세요.

① sick ② full
③ tired ④ busy

3 그림에 <u>없는</u> 단어를 고르세요.

① boots ② jeans
③ socks ④ glasses

4 그림과 어구가 일치하지 <u>않는</u> 것을 고르세요.

① 
saw sea birds

② 

ate delicious food

③ 
made cookies

④ 

joined a book club

맞은 개수 /8개

▶정답 7쪽

5 그림에 알맞은 단어를 보기 에서 골라 기호를 쓰세요.

보기 ⓐ water ⓑ drink ⓒ brush

(1) 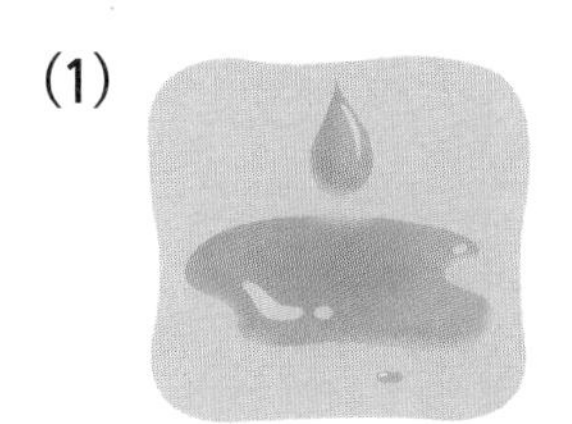

(2) 

6 그림을 보고 문장의 빈칸에 알맞은 단어를 고르세요.

Take the ________.

① car ② bus
③ ship ④ subway

7 그림에 알맞은 어구를 골라 쓰세요.

(learned Chinese / made cookies)

8 그림에 알맞은 단어가 되도록 알파벳을 바르게 배열하여 쓰세요.

(1) (a p n l t)

(2) (s b u h r)

1주

2주 2주에는 무엇을 공부할까? ①

재미있는 이야기로 이번 주에 공부할 내용을 알아보세요.

1일 **Where Is the Library?** 장소

2일 **Go Straight and Turn Right** 방향

3일 **What Will You Do This Weekend?** 기간

4일 **I Will Help My Mom This Weekend** 계획

5일 **SPECIAL VOCA** 동작+-er

2주에는 무엇을 공부할까? ❷

◉ 여러분이 길을 물어본 적이 있는 장소에 동그라미 해 보세요.

2 주

◉ 여러분이 이번 주말에 할 일에 동그라미 해 보세요.

visit my grandparents

help my mom

practice the guitar

go on a picnic

watch a movie

stay at home

도서관이 어디에 있니?

단어

Where Is the Library?

재미있는 이야기로 오늘 배울 단어를 만나 보세요.

오늘 배울 단어를 듣고 따라 말한 후, 써 보세요.

library
도서관

bus stop
버스 정류장

bakery
빵집

bank
은행

post office
우체국

flower shop
꽃 가게

위의 그림을 짚으며 찬트 해 보세요.

단어 쑥쑥

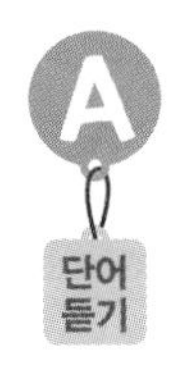

A 잘 듣고, 알맞은 단어를 고라 기호를 쓰세요.

단어 듣기

ⓐ post office ⓑ bus stop ⓒ flower shop

1. 

2. 

3. 

B 그림에 알맞은 단어를 연결하세요.

의미 연결

1. 

버스 정류장

2. 

우체국

post office

flower shop

bus stop

bakery

3. 

꽃 가게

4. 

빵집

C 그림에 알맞은 단어를 보기 에서 골라 쓰세요.

단어 쓰기

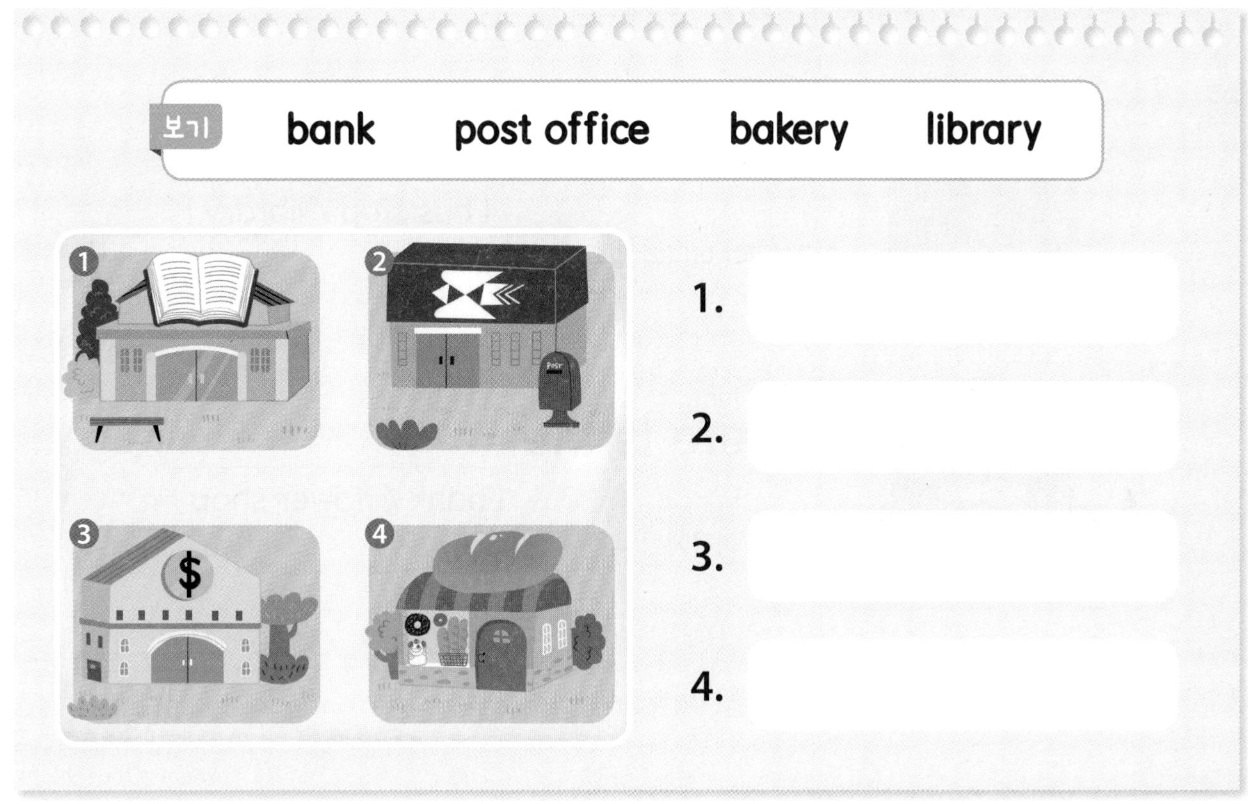

보기 bank post office bakery library

1.

2.

3.

4.

D 잘 듣고, 그림에 알맞은 단어를 완성하세요.

단어 완성

4

1. 

l _ b _ ary

2.  

ba _ er _

3. 

ba _ k

문장 쑥쑥

▶정답 8쪽

A 그림에 알맞은 단어를 골라 문장을 완성하세요.

1. 

Where is the ____________?
(bus stop / library)
도서관이 어디에 있니?

2. 

Where is the ____________?
(bank / flower shop)
은행이 어디에 있니?

특정 장소의 위치를 물어볼 때는 'Where is the+장소 이름?'으로 해요.

B 그림에 알맞은 단어를 보기에서 골라 문장을 완성하세요.

문장
쓰기

보기 bus stop flower shop post office bakery

1. 

Where is the ____________?
우체국이 어디에 있니?

2. 

Where is the ____________?
버스 정류장이 어디에 있니?

3. 

Where is the ____________?
꽃 가게가 어디에 있니?

실력 쑥쑥

▶정답 8쪽

A 잘 듣고, 알맞은 단어에 동그라미 한 후 우리말 뜻을 쓰세요.

1. bus stop / bakery

뜻 ____________

2. flower shop / bank

뜻 ____________

3. library / post office

뜻 ____________

B 그림에 알맞은 단어가 되도록 알파벳을 바르게 배열하여 쓰세요.

1. 

b s u s p o t

2. 

k b y a r e

3. 

b a i r r l y

4. 

a k b n

◉ 단어나 어구를 듣고, 우리말 뜻을 말해 보세요.

곧장 가다가 오른쪽으로 돌아

Go Straight and Turn Right

단어

재미있는 이야기로 오늘 배울 단어를 만나 보세요.

오늘 배울 단어를 듣고 따라 말한 후, 써 보세요.

straight
곧장, 일직선으로

right
오른쪽으로

left
왼쪽으로

block
구역, 블록

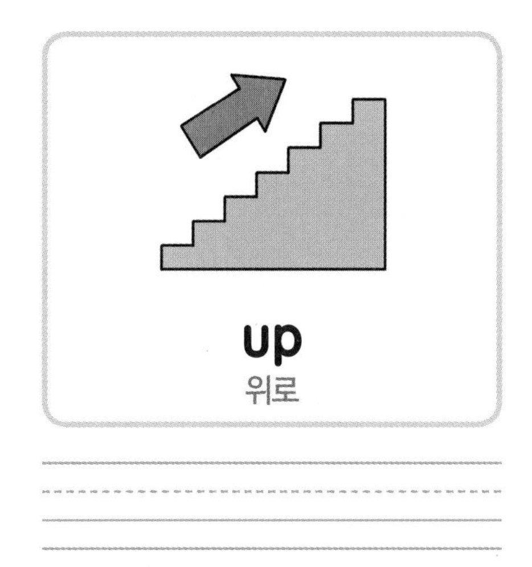

up
위로

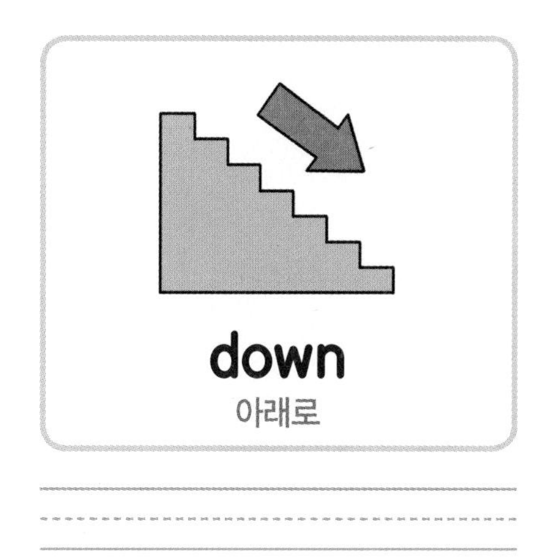

down
아래로

위의 그림을 짚으며 찬트 해 보세요.

단어 쑥쑥

잘 듣고, 알맞은 단어에 동그라미 하세요.

1. 

right　up

2. 

block　left

3. 

straight　down

의미 연결

그림에 알맞은 단어와 우리말 뜻을 연결하세요.

1. 　•　　• block •　　• 위로

2. 　•　　• up •　　• 아래로

3. 　•　　• down •　　• 구역, 블록

그림에 알맞은 단어를 찾아 동그라미 한 후 빈칸에 쓰세요.

b l o l e f t k c p s t r a i g h t y w d z r i g h t s x

1.

2.

3.

그림을 보고, 퍼즐을 완성하세요.

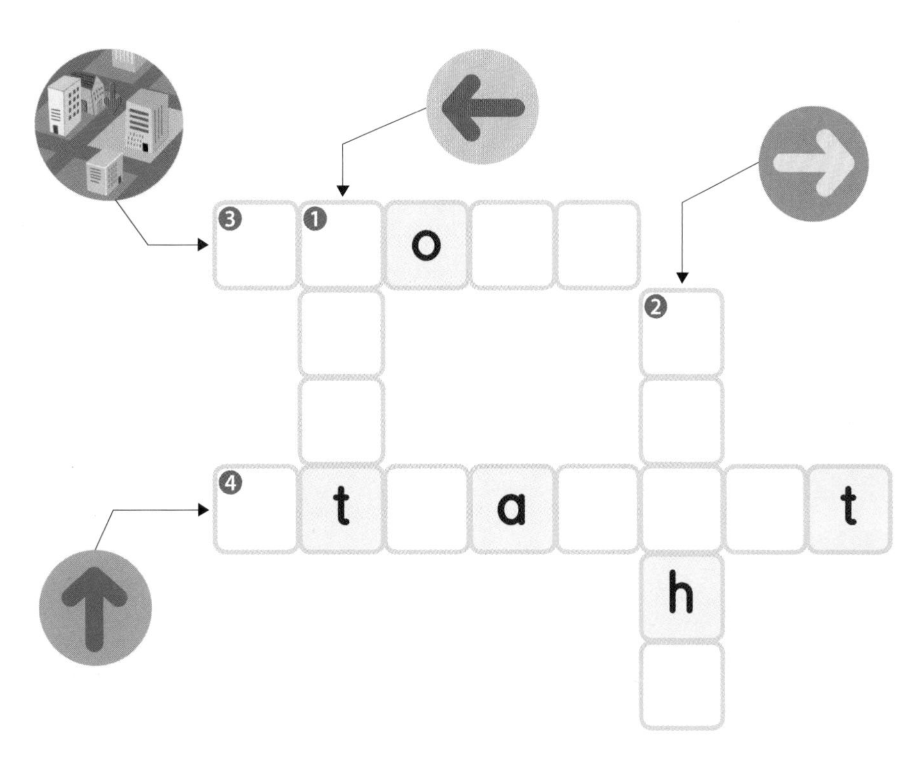

문장 쑥쑥

▶정답 9쪽

그림에 알맞은 단어를 골라 문장을 완성하세요.

1. 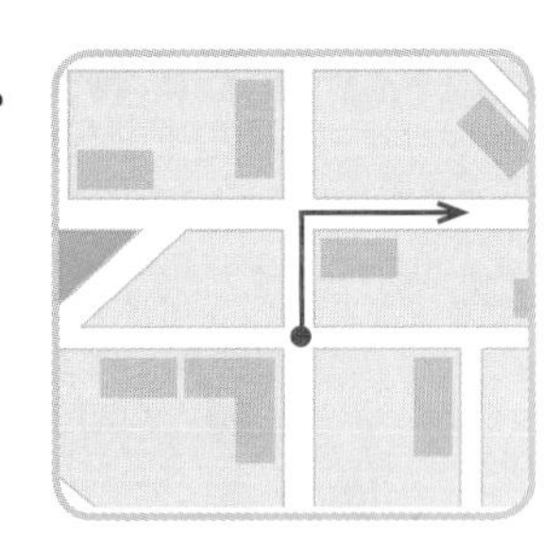

Go straight and turn ____________.
(right / left)

곧장 가다가 오른쪽으로 돌아.

2. 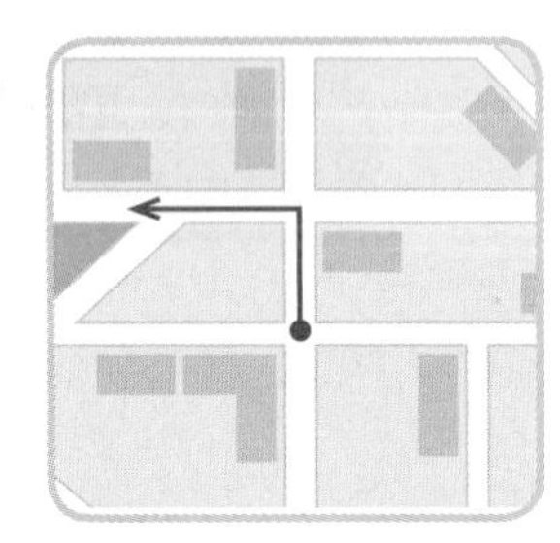

Go straight and turn ____________.
(right / left)

곧장 가다가 왼쪽으로 돌아.

B 그림에 알맞은 단어를 보기에서 골라 문장을 완성하세요.

문장 쓰기

'오른쪽(왼쪽)으로 돌아.'라고 말할 때는 Turn right(left).로 해요.

보기: left / straight / down / right

1. 

Go ____________.

곧장 가.

2. 

Go straight and turn ____________.

곧장 가다가 오른쪽으로 돌아.

3. 

Go straight and turn ____________.

곧장 가다가 왼쪽으로 돌아.

실력 쑥쑥

▶정답 9쪽

A 잘 듣고, 알맞은 단어에 동그라미 한 후 우리말 뜻을 쓰세요.

1. left / up
뜻 ____________

2. block / right
뜻 ____________

3. straight / down
뜻 ____________

B 그림에 알맞은 단어가 되도록 알파벳을 바르게 배열하여 쓰세요.

1. 
t e f l
____

2. 
n d w o
____

3. 
c o k l b
____

4. 
g h r t i
____

◉ 단어를 듣고, 우리말 뜻을 말해 보세요.

너는 이번 주말에 무엇을 할 거니?

단어

What Will You Do This Weekend?

재미있는 이야기로 오늘 배울 단어를 만나 보세요.

오늘 배울 단어를 듣고 따라 말한 후, 써 보세요.

1

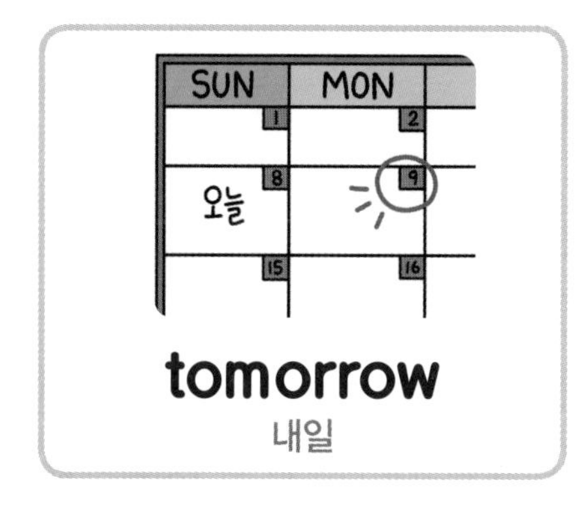

tomorrow
내일

week
주

weekend
주말

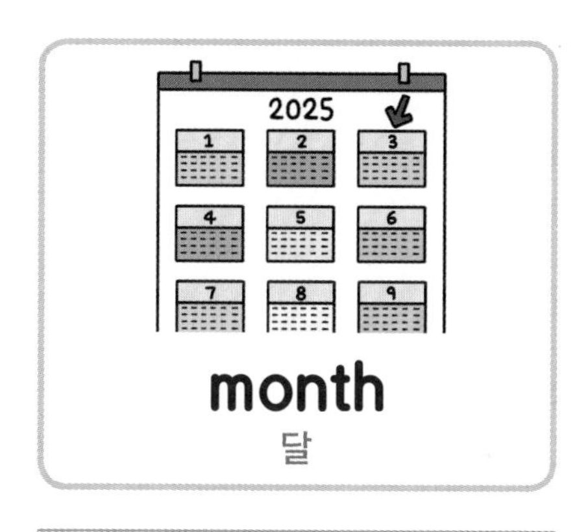

month
달

year
해, 년

vacation
방학

위의 그림을 짚으며 찬트 해 보세요.

단어 쑥쑥

A 잘 듣고, 알맞은 단어를 골라 기호를 쓰세요.

단어 듣기

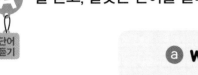

1. 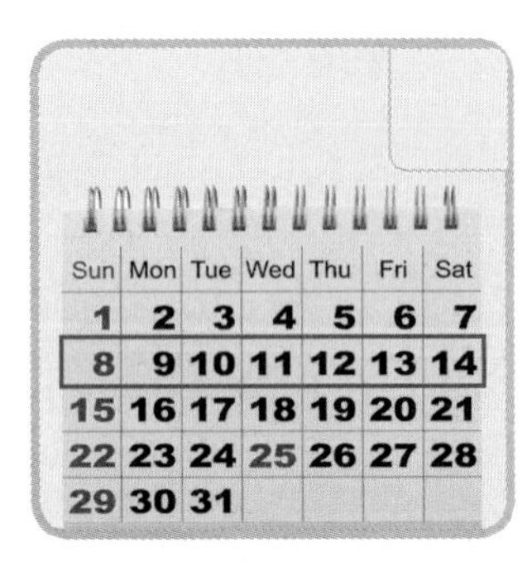

2. 

3. 

B 그림에 알맞은 단어와 우리말 뜻을 연결하세요.

의미 연결

1. 

2. 

3. 

1.	tomorrow	주말
2.	weekend	내일
3.	vacation	방학

▶정답 10쪽

C 그림에 알맞은 단어를 찾아 동그라미 한 후 빈칸에 쓰세요.

단어 쓰기

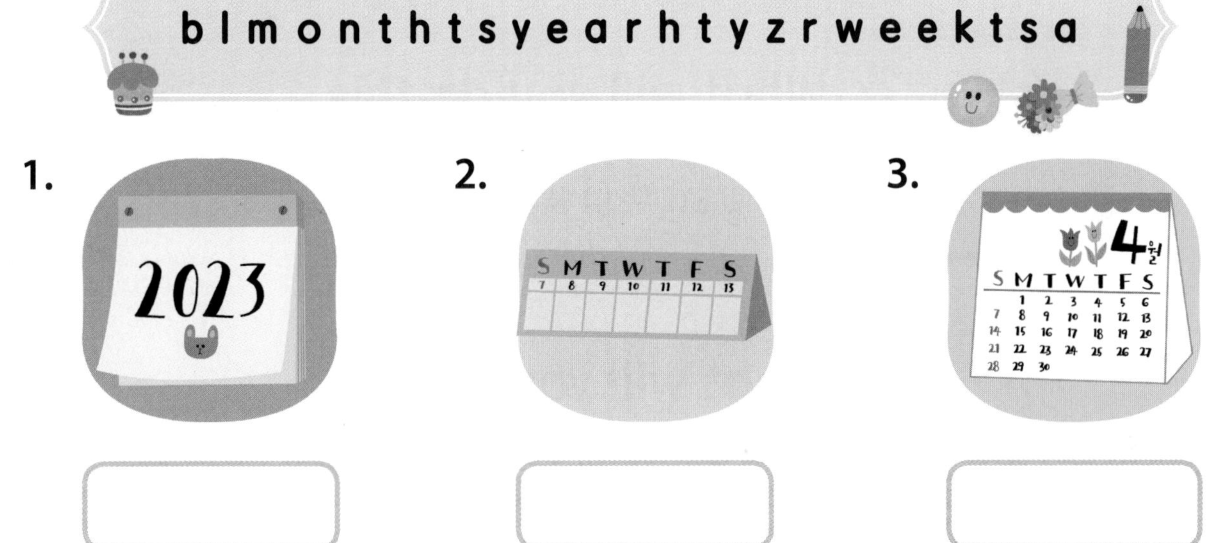

D 그림을 보고, 퍼즐을 완성하세요.

단어 완성

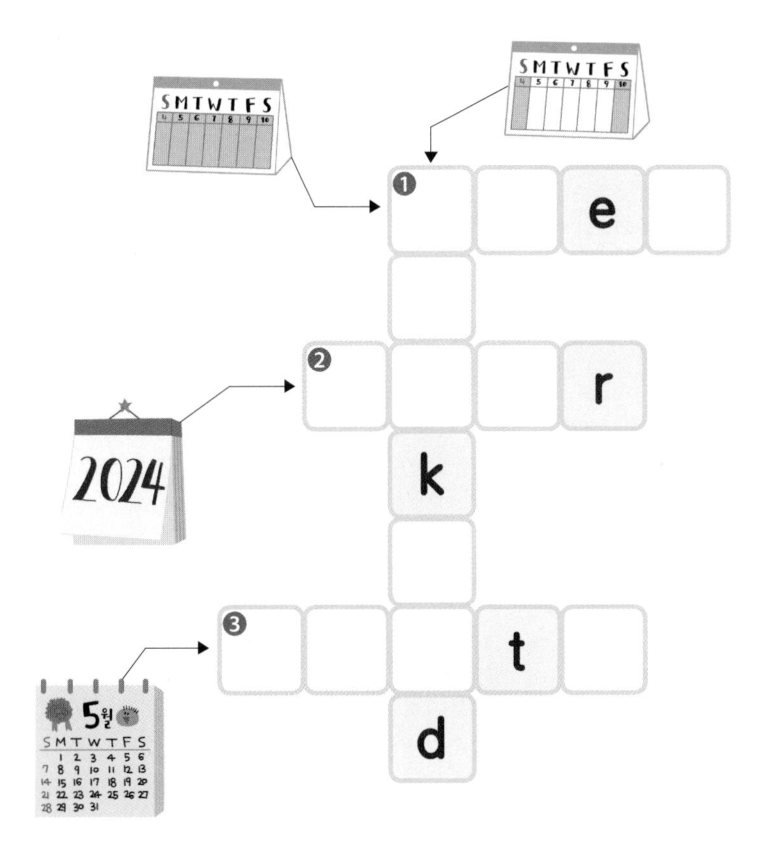

문장 쑥쑥

▶정답 10쪽

A 그림에 알맞은 단어를 골라 문장을 완성하세요.

문장 완성

1. What will you do this ____________?
(tomorrow / month)
너는 이번 달에 무엇을 할 거니?

2. What will you do this ____________?
(year / week)
너는 올해 무엇을 할 거니?

B 그림에 알맞은 단어를 보기에서 골라 문장을 완성하세요.

특정 기간에 무엇을 할 것인지 물어볼 때는 'What will you do + 기간을 나타내는 말?'로 해요.

문장 쓰기

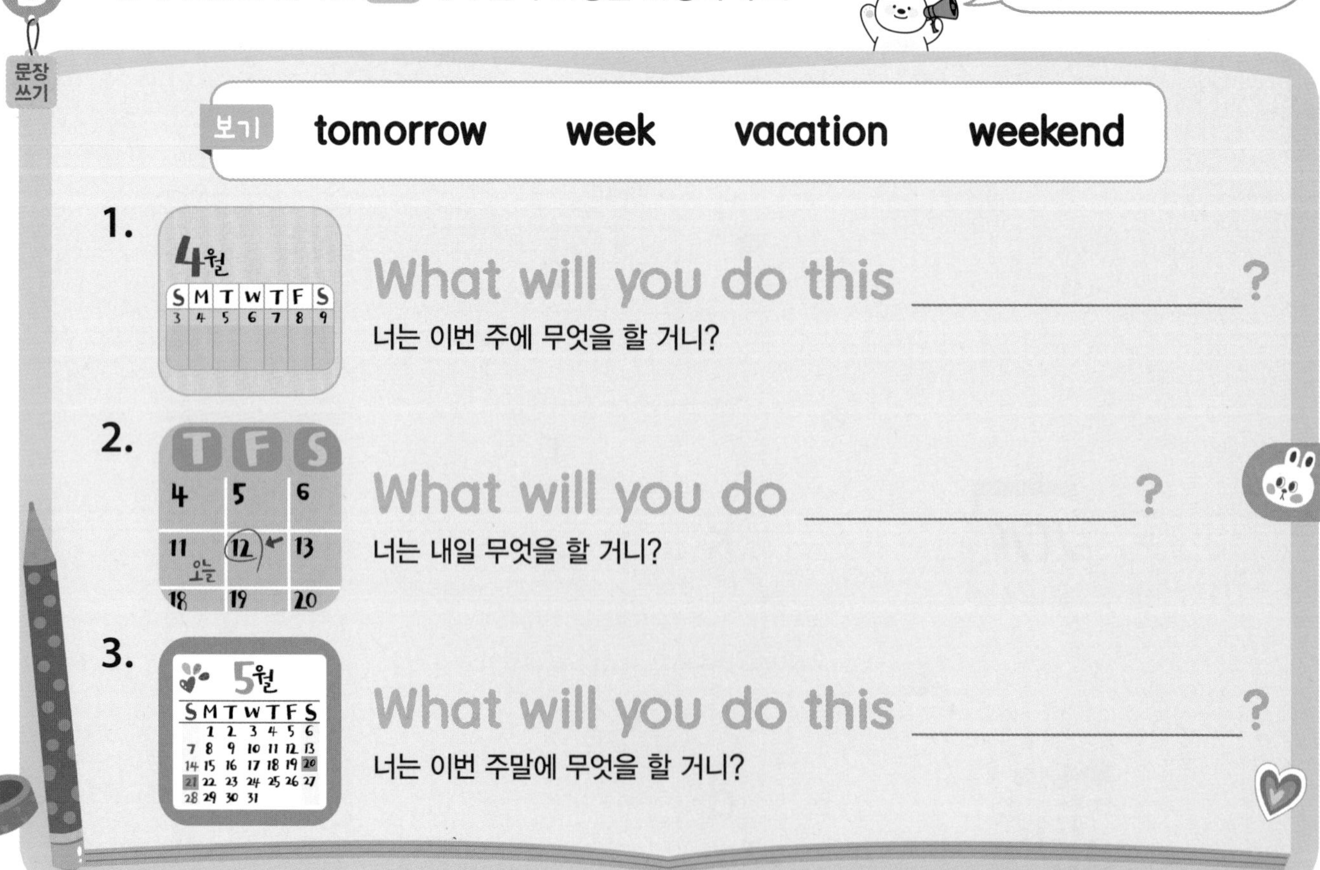

보기 tomorrow week vacation weekend

1. What will you do this ____________?
너는 이번 주에 무엇을 할 거니?

2. What will you do ____________?
너는 내일 무엇을 할 거니?

3. What will you do this ____________?
너는 이번 주말에 무엇을 할 거니?

복습 실력 쑥쑥

▶정답 10쪽

A 잘 듣고, 알맞은 단어에 동그라미 한 후 우리말 뜻을 쓰세요.

1. week / month
뜻 ______

2. vacation / weekend
뜻 ______

3. year / tomorrow
뜻 ______

B 그림에 알맞은 단어가 되도록 알파벳을 바르게 배열하여 쓰세요.

1. 
o h m t n

2. 

r e y a

3. 

r o o m w o t r

4. 

v o a a n t c i

차곡차곡 복습!

◉ 단어를 듣고, 우리말 뜻을 말해 보세요.

나는 이번 주말에 엄마를 도와드릴 거야

I Will Help My Mom This Weekend

단어

재미있는 이야기로 오늘 배울 어구를 만나 보세요.

우리 조부모님이 영국에 사시는데 이번에 금혼식을 하셔. 그래서 이번 주말에 visit my grandparents할 거야.
금혼식이 뭐야?

부부가 결혼한 지 50년이 된 것을 축하하는 행사야.
19세기에 영국에서 시작되었는데 결혼식에 참석했던 손님들을 금혼식에 다시 초대해서 파티를 열었대. 그리고 신랑은 신부에게 순금으로 된 물건이나 보석을 준대.
흠흠
Golden Wedding
GOLD
너무 낭만적이야.

난 금혼식을 위한 기타 공연을 준비했어.
디리리링
남은 시간 열심히 practice the guitar 할 거야.

성대한 파티를 위해 help my mom도 해야 해.
Golden Wedding
쩝~
나한테 멋진 금혼식을 만들 좋은 생각이 있어.

며칠 뒤

잘 다녀와!

금혼식은 어땠어? 사진 보여 줘.
우주에서 한 금혼식은 정말 최고였어.

짜잔
찰칵

오늘 배울 어구를 듣고 따라 말한 후, 써 보세요.

visit my grandparents
조부모님 댁을 방문하다

help my mom
엄마를 도와드리다

practice the guitar
기타를 연습하다

go on a picnic
소풍을 가다

watch a movie
영화를 보다

stay at home
집에 머무르다

위의 그림을 짚으며 찬트 해 보세요.

단어 쑥쑥

잘 듣고, 알맞은 어구에 동그라미 하세요.

1. 

visit my grandparents / help my mom

2. 

stay at home / practice the guitar

3. 

go on a picnic / watch a movie

그림에 알맞은 어구를 연결하세요.

1. 

조부모님 댁을 방문하다

2. 

영화를 보다

3. 

집에 머무르다

4. 

엄마를 도와드리다

- watch a movie
- stay at home
- help my mom
- visit my grandparents

▶정답 11쪽

C 그림에 알맞은 어구를 보기 에서 골라 쓰세요.

어구 쓰기

보기 practice the guitar stay at home help my mom

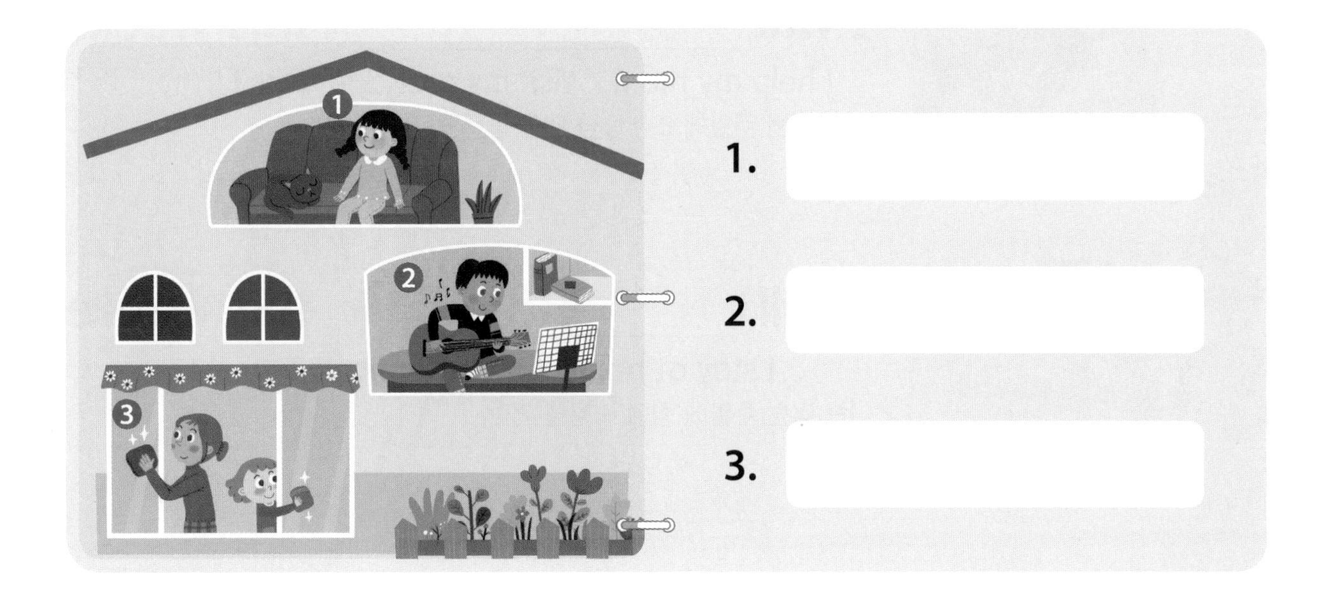

1.

2.

3.

D 잘 듣고, 그림에 알맞은 어구를 완성하세요.

어구 완성

1.

vi _ i _ my g _ and _ are _ ts

2.

_ o on a pi _ n _ c

3.

wat _ _ a _ o _ ie

2 주

문장 쑥쑥

▶정답 11쪽

A 그림에 알맞은 어구를 골라 문장을 완성하세요.

1.

I will ____________ this weekend.

(help my mom / visit my grandparents)

나는 이번 주말에 조부모님 댁을 방문할 거야.

2.

I will ____________ this weekend.

(stay at home / go on a picnic)

나는 이번 주말에 집에 머무를 거야.

B 그림에 알맞은 어구를 보기에서 골라 문장을 완성하세요.

미래의 계획을 말할 때는 'I will+동작을 나타내는 말.'로 표현해요.

문장 쓰기

보기: practice the guitar / watch a movie / go on a picnic

1.

I will ____________ this weekend.

나는 이번 주말에 소풍을 갈 거야.

2.

I will ____________ this weekend.

나는 이번 주말에 기타를 연습할 거야.

3.

I will ____________ this weekend.

나는 이번 주말에 영화를 볼 거야.

실력 쑥쑥

▶정답 11쪽

A 잘 듣고, 알맞은 어구에 동그라미 한 후 우리말 뜻을 쓰세요.

1. watch a movie / practice the guitar → 뜻
2. stay at home / help my mom → 뜻
3. visit my grandparents / go on a picnic → 뜻

B 그림에 알맞은 어구가 되도록 단어를 바르게 배열하여 쓰세요.

1. 

   ________________ (at / stay / home)

2. 

   ________________ (guitar / the / practice)

3. 

   ________________ (picnic / on / a / go)

차곡차곡 복습!

◉ 단어나 어구를 듣고, 우리말 뜻을 말해 보세요.

스페셜 SPECIAL VOCA

'~하는 사람'
동작+-er

재미있는 이야기로 오늘 배울 단어를 만나 보세요.

우리 영어 단어 맞히기 게임하자.
teach에 어떤 글자를 붙이면 사람을 나타내는 단어가 돼. 이 글자가 뭘까?
나! '가르치다'라는 뜻의 teach에 -er을 붙이면 teacher, '선생님'이지!

딩동댕!
맞아. 동작을 나타내는 말에 -er을 붙이면 사람을 나타내는 단어가 되는 거야. 또 어떤 단어가 있을까?
까닥
내가 한번 해 볼게.

paint는 '그리다'라는 뜻이고, -er을 붙이면 painter야. '화가'라는 뜻이 돼.
맛있겠다
꿀꺽

다들 잘하는구나.
이번엔 내가 해 볼래.
짝짝

eat은 '먹다'라는 뜻이고, -er을 붙이면 eater야. 음식을 엄청 먹는 바로 나, 라비!
호로록
삐질

라비야, 동작을 나타내는 말에 -er을 붙인다고 해서 전부 사람을 나타내는 단어가 되지는 않아.
쉽게 단어를 외울 수 있을 줄 알았는데 아니었네.
긁적
ㅋㅋㅋ

오늘 배울 단어를 들으며 따라 말해 보세요.

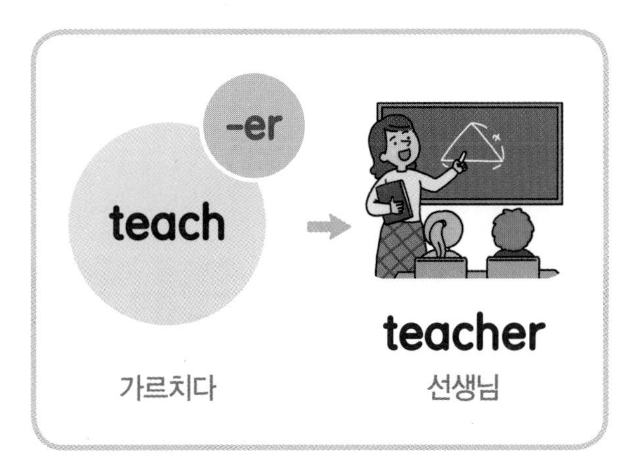

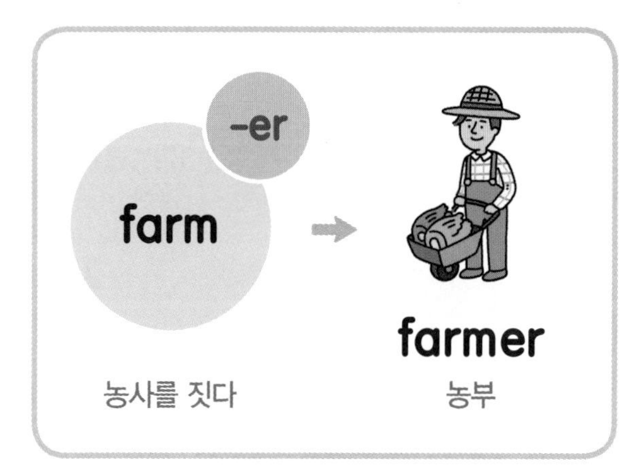

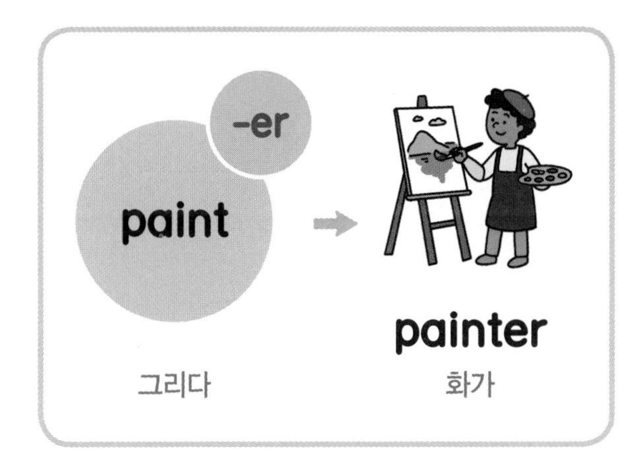

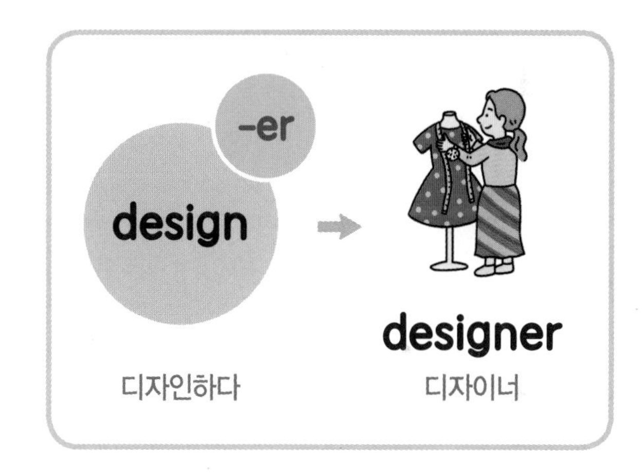

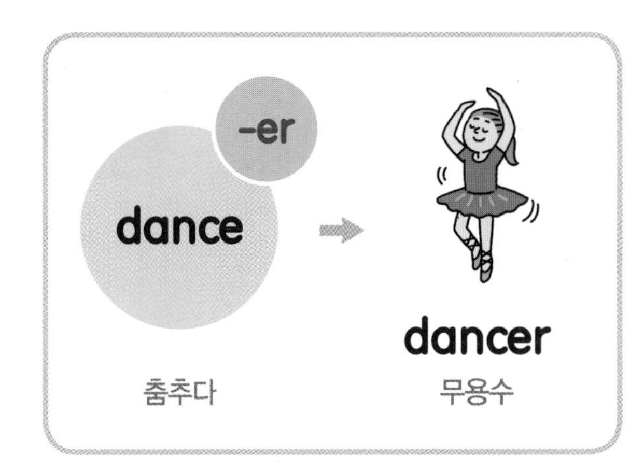

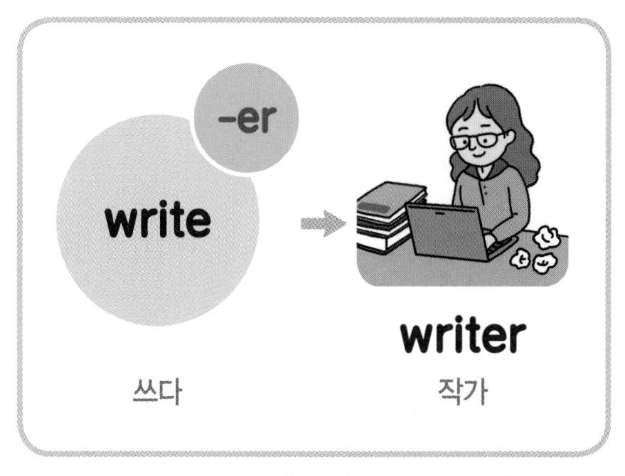

* e로 끝나는 단어는 r만 붙이면 돼요.

위의 그림을 짚으며 찬트 해 보세요.

단어 쑥쑥

A 잘 듣고, 알맞은 단어를 골라 기호를 쓰세요.

ⓐ farmer ⓑ writer ⓒ painter

1. 

2. 

3. 

B 그림에 알맞은 단어를 연결하세요.

의미 연결

1. 
디자이너

2. 
선생님

- dancer
- teacher
- designer
- writer

3. 
무용수

4. 
작가

▶정답 12쪽

C 그림에 알맞은 단어를 보기 에서 골라 쓰세요.

단어 쓰기

보기 designer dancer teacher farmer

1.
2.
3.
4.

D 잘 듣고, 그림에 알맞은 단어를 완성하세요.

단어 완성

1.

desi _ ne _

2.

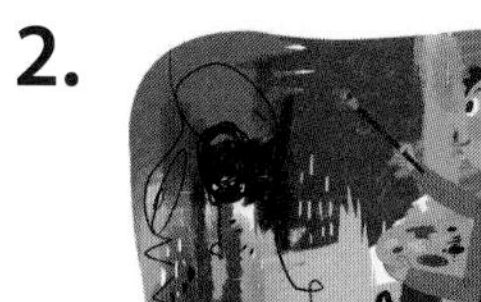

p _ in _ er

3.

f _ rm _ r

단어 쑥쑥 플러스

▶정답 12쪽

◉ 그림에 알맞은 단어에 동그라미 한 후, (e)r을 넣어 단어를 쓰세요.

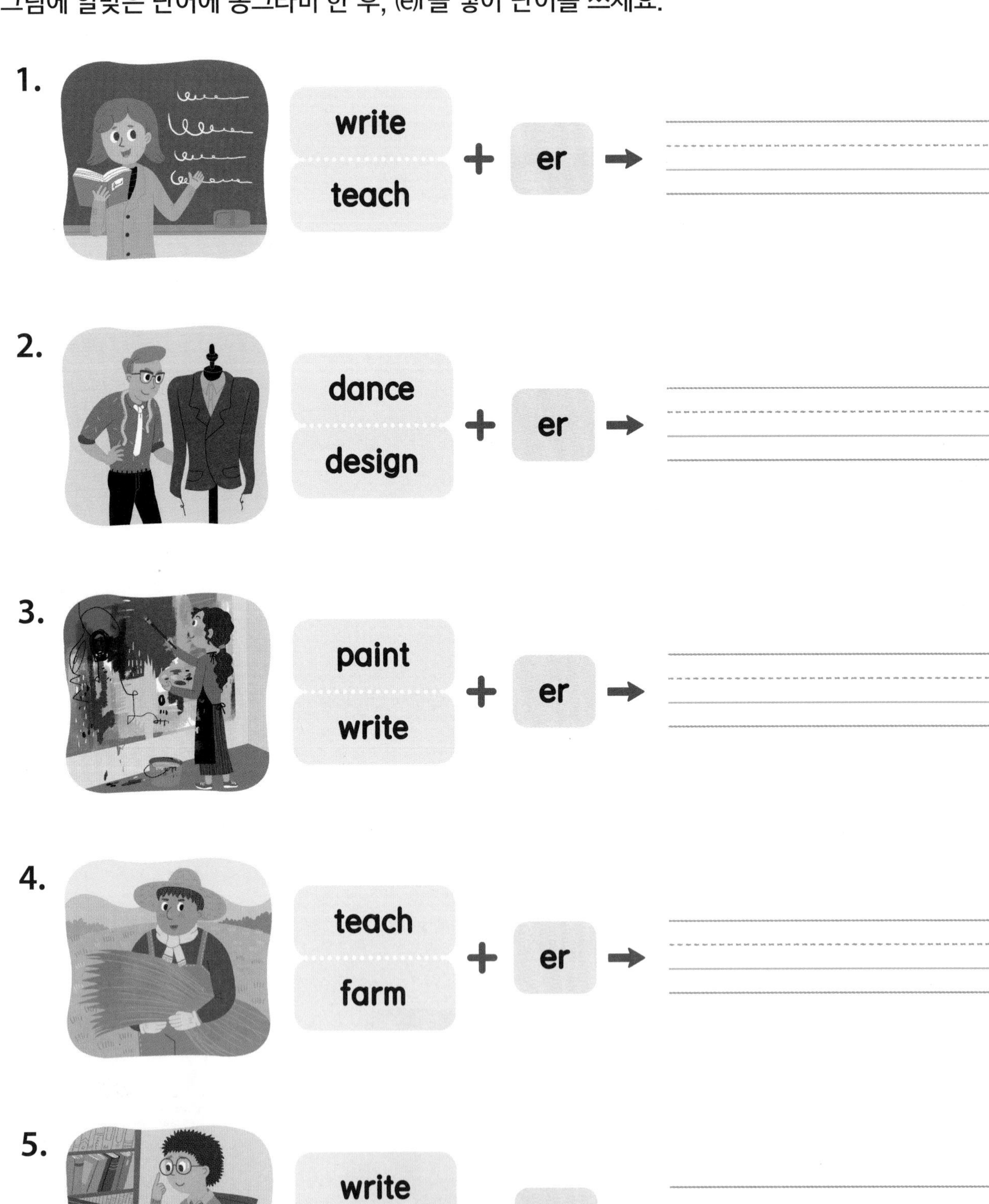

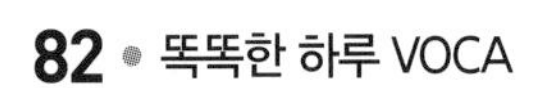

실력 쑥쑥

▶정답 12쪽

A 잘 듣고, 알맞은 단어에 동그라미 한 후 우리말 뜻을 쓰세요.

5

1. dancer / painter
   뜻 ______

2. farmer / teacher
   뜻 ______

3. designer / writer
   뜻 ______

2 주

B 그림에 알맞은 단어가 되도록 알파벳을 바르게 배열하여 쓰세요.

1. 
   r r w i e t
   ______

2. 
   r e f r a m
   ______

3. 
   e a d c r n
   ______

4. 
   e e t a h r c
   ______

차곡차곡 복습!

◉ 단어나 어구를 듣고, 우리말 뜻을 말해 보세요.

배운 내용을 떠올리며 말판 놀이를 해 보세요.

START
1. 그림을 보고 알맞은 단어에 동그라미 하세요.
down
up
2. 어구를 읽고 알맞은 그림에 동그라미 하세요.
watch a movie
3. 단어를 읽고 알맞은 우리말 뜻과 연결하세요.
bus stop
library
버스 정류장
도서관
4. 그림과 단어가 일치하면 ○ 표, 일치하지 않으면 × 표 하세요.
straight
5. 그림을 보고 알파벳을 바르게 배열하여 단어를 쓰세요.
방학식
atvconia
➔ ________
6. 그림을 보고 알맞은 단어에 동그라미 하세요.
painter
farmer

9. 단어를 읽고 알맞은 그림에 동그라미 하세요.
right
10. 그림에 알맞은 단어를 완성하세요.
po__t of__ic__
8. 그림을 보고 알파벳을 바르게 배열하여 단어를 쓰세요.
kabyer
→ ________
11. 그림을 보고 알맞은 단어와 연결하세요.
teacher
dancer
7. 그림과 어구가 일치하면 ○ 표, 일치하지 않으면 × 표 하세요.
go on a picnic
12. 그림에 알맞은 단어를 완성하세요.
SUN
MON
오늘
__omo__ro__
FINISH

A

외계인이 돌 위에 암호를 새겼어요. 단서 를 참고하여 암호를 푼 후, 알맞은 그림과 연결하세요.

단서

☆	◎	⌛	☾	⌖	⋝	✲	⌓	⅄
e	n	w	d	k	t	m	o	h

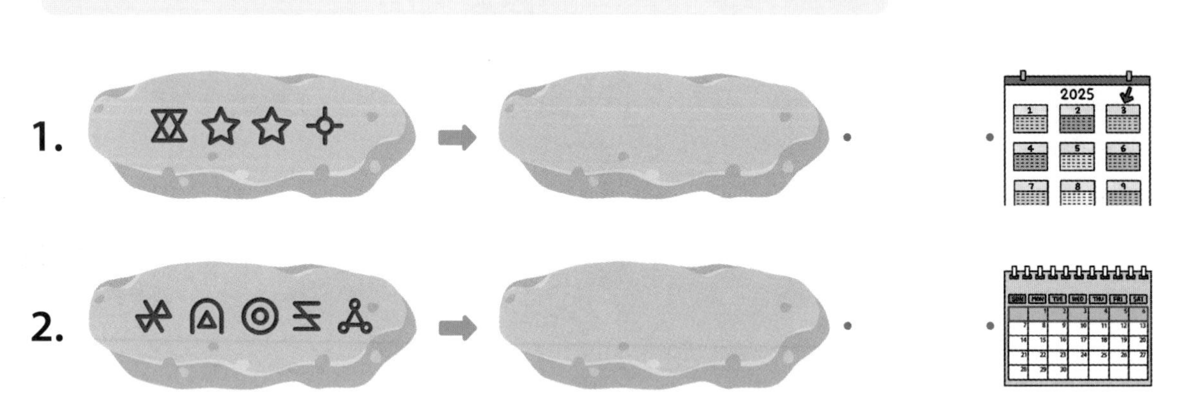

B

쪼꼬가 선물 뽑기를 하고 있어요. 힌트 를 참고하여 어떤 방향으로 가야 해당 선물을 뽑을 수 있는지 빈칸에 알맞은 단어를 쓰세요.

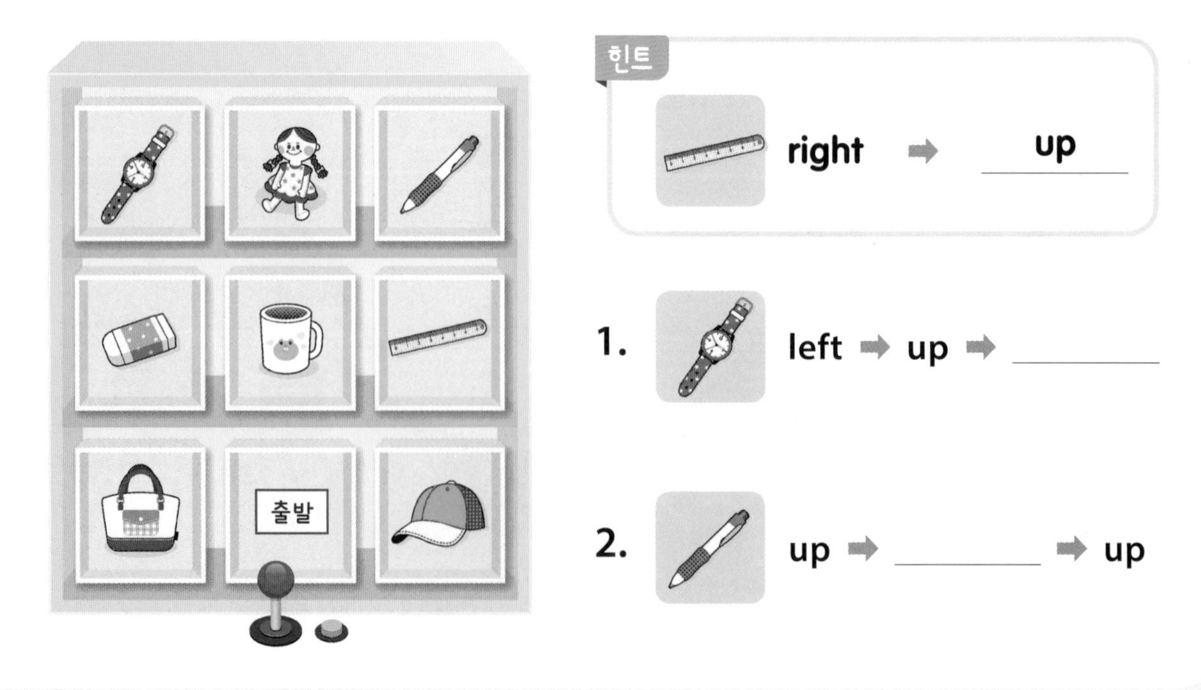

정답 13쪽

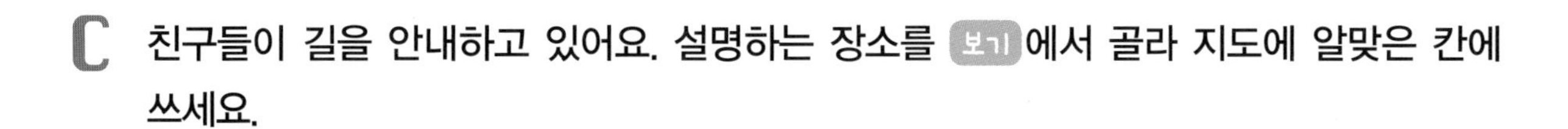

C 친구들이 길을 안내하고 있어요. 설명하는 장소를 보기 에서 골라 지도에 알맞은 칸에 쓰세요.

1.  곧장 한 구역 가서 오른쪽으로 도세요. 맛있는 빵을 살 수 있어요.

2.  곧장 두 구역 가서 왼쪽으로 도세요. 버스를 탈 수 있어요.

3.  곧장 한 구역 가서 왼쪽으로 도세요. 책을 빌릴 수 있어요.

4.  곧장 두 구역 가서 오른쪽으로 도세요. 돈을 저금할 수 있어요.

보기 **bus stop** **bank** **bakery** **library**

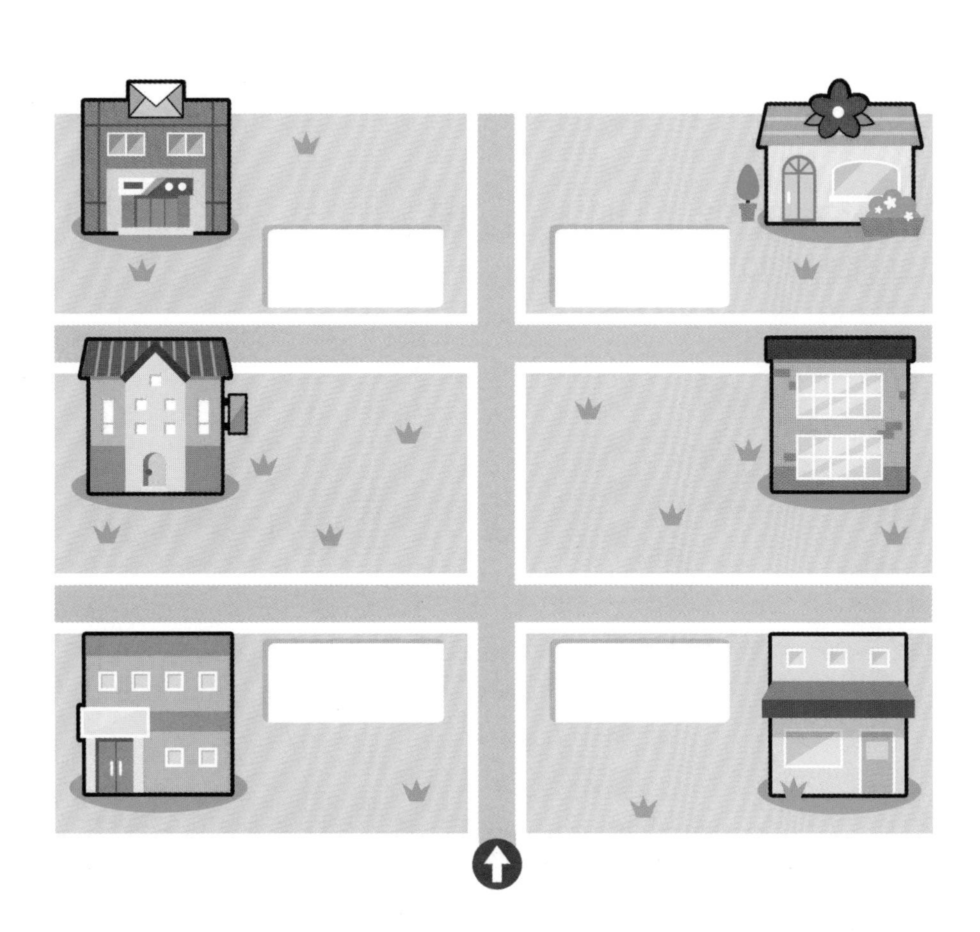

D 도진이의 일기를 읽고, 도진이가 각 요일에 할 일을 그림에 알맞게 쓰세요.

- 오늘은 목요일이야. 오늘은 stay at home 할 거야.
- tomorrow에는 visit my grandparents 할 거야.
- weekend에는 practice the guitar와 help my mom 할 거야.

E 단서를 참고하여 직업을 나타내는 단어를 완성한 후, 색이 있는 칸의 알파벳을 모아 유주의 장래 희망이 무엇인지 쓰세요.

1. t □ □ □ □ □ r
2. □ □ i □ t □ □
3. □ □ s □ g n □ □

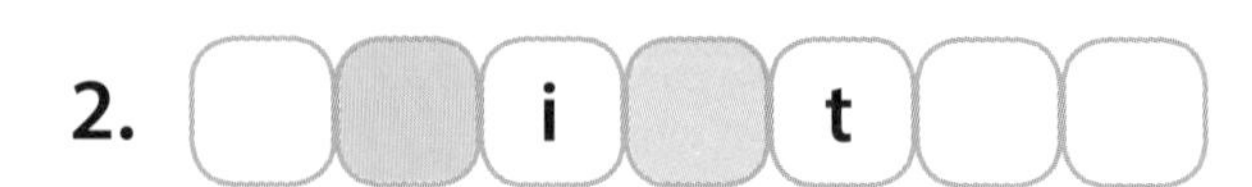

유주의 장래 희망: □ □ □ □ □ □

F 쪼꼬가 라비를 만나려면 행성 미로를 탈출해야 해요. 그림과 단어가 일치하면 YES, 일치하지 않으면 NO를 따라간 후, 도착한 행성의 단어로 문장을 완성하세요.

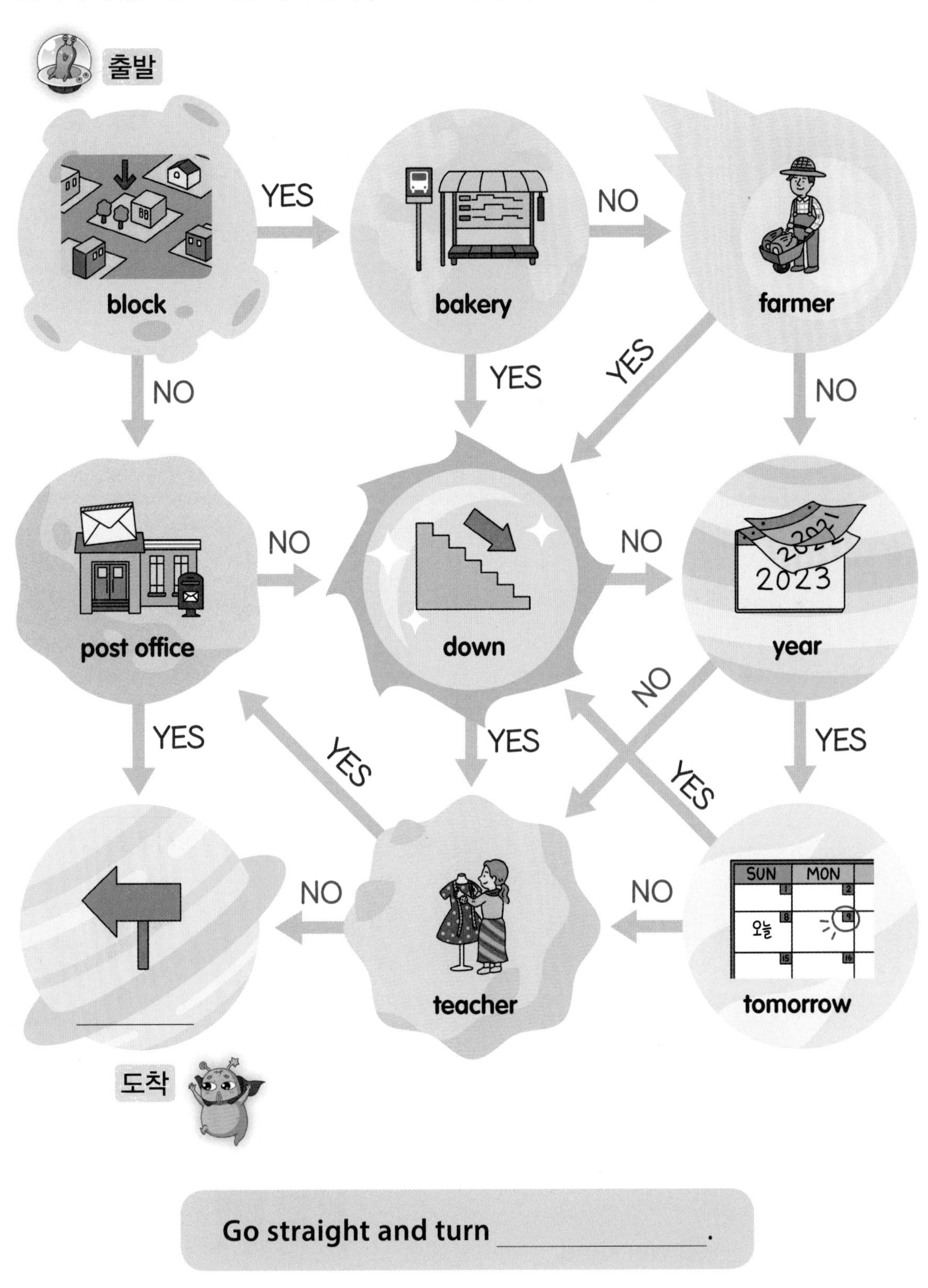

Go straight and turn ________.

2주 누구나 100점 TEST

1 단어에 알맞은 그림을 고르세요.

straight

①

②

③

④

2 그림에 알맞은 단어를 고르세요.

① month ② weekend
③ week ④ year

3 그림에 없는 단어를 고르세요.

① library ② bus stop
③ post office ④ bakery

4 그림과 어구가 일치하지 않는 것을 고르세요.

①

practice the guitar

②

help my mom

③

go on a picnic

④

stay at home

맞은 개수 /8개

▶정답 14쪽

5 그림에 알맞은 단어를 보기 에서 골라 기호를 쓰세요.

보기 ⓐ teacher ⓑ painter ⓒ writer

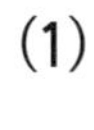
(1) 

(2) 

6 그림을 보고 문장의 빈칸에 알맞은 단어를 고르세요.

What will you do this ________?

① week ② tomorrow
③ vacation ④ weekend

7 그림에 알맞은 어구를 골라 쓰세요.

(go on a picnic / watch a movie)

8 그림에 알맞은 단어가 되도록 알파벳을 바르게 배열하여 쓰세요.

(1) ____________________
(n i d s e r e g)

(2) ____________________
(r f m a r e)

2 주

3주에는 무엇을 공부할까? ①

재미있는 이야기로 이번 주에 공부할 내용을 알아보세요.

3
주

1일 He's Handsome 묘사

2일 I Can Taste 감각

3일 I Like Spring 계절

4일 I Make a Garden in Spring 동작

5일 SPECIAL VOCA 다의어

3주에는 무엇을 공부할까? ②

A

◉ 여러분이 오늘 가장 많이 사용한 감각에 동그라미 해 보세요.

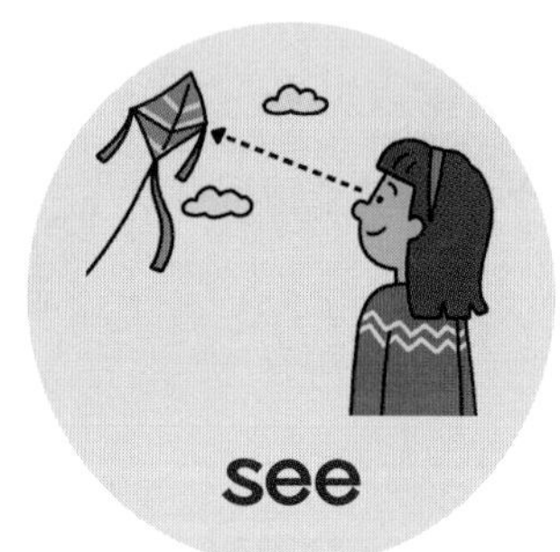

B

3 주

◉ 여러분이 봄에 하는 활동에 동그라미 해 보세요.

make a garden

swim at the beach

see beautiful leaves

make a snowman

meet new friends

take a walk

그는 잘생겼어

He's Handsome

단어

재미있는 이야기로 오늘 배울 단어를 만나 보세요.

오늘 배울 단어를 듣고 따라 말한 후, 써 보세요.

handsome
잘생긴

beautiful
아름다운

ugly
못생긴

kind
친절한

smart
똑똑한

funny
웃기는, 재미있는

위의 그림을 짚으며 찬트 해 보세요.

단어 쑥쑥

잘 듣고, 알맞은 단어에 동그라미 하세요.

1. 

smart / kind

2. 

beautiful / ugly

3. 

funny / handsome

그림에 알맞은 단어와 우리말 뜻을 연결하세요.

1. 	funny	웃기는, 재미있는
2. 	ugly	똑똑한
3. 	smart	못생긴

▶정답 15쪽

C 그림에 알맞은 단어를 찾아 동그라미 한 후 빈칸에 쓰세요.

단어 쓰기

k i n d u d b e a u t i f u l r y h a n d s o m e

1.

2.

3.

D 그림을 보고, 퍼즐을 완성하세요.

단어 완성

문장 쑥쑥

▶정답 15쪽

A 그림에 알맞은 단어를 골라 문장을 완성하세요.

1.

She's ______________.
(smart / kind)
그녀는 똑똑해.

2.

He's ______________.
(ugly / funny)
그는 재밌어.

B 그림에 알맞은 단어를 보기에서 골라 문장을 완성하세요.

다른 사람의 외모나 성격을 묘사할 때는 'He's (She's) + 외모나 성격을 묘사하는 말.'로 해요.

문장 쓰기

보기	beautiful	ugly	handsome	kind

1.

He's ______________.
그는 친절해.

2.

She's ______________.
그녀는 아름다워.

3.

He's ______________.
그는 잘생겼어.

▶정답 15쪽

 잘 듣고, 알맞은 단어에 동그라미 한 후 우리말 뜻을 쓰세요.

1. smart / ugly

2. funny / kind

3. handsome / beautiful

 그림에 알맞은 단어가 되도록 알파벳을 바르게 배열하여 쓰세요.

1. 

d a n h s m o e

2. 

n k d i

3. 

s a t m r

4. 

t e u a b u i l f

◉ 단어나 어구를 듣고, 우리말 뜻을 말해 보세요.

똑똑한 하루 2일 VOCA

나는 맛볼 수 있어 단어

I Can Taste

재미있는 이야기로 오늘 배울 단어를 만나 보세요.

오늘 배울 단어를 듣고 따라 말한 후, 써 보세요.

1

see
보다

smell
냄새를 맡다

touch
만지다

taste
맛보다

hear
듣다

feel
느끼다

위의 그림을 짚으며 찬트 해 보세요.

단어 쑥쑥

A 잘 듣고, 알맞은 단어를 골라 기호를 쓰세요.

단어 듣기

ⓐ touch ⓑ taste ⓒ smell

1. 

2. 

3. 

B 그림에 알맞은 단어를 연결하세요.

의미 연결

1. 
듣다

2. 
보다

see

hear

feel

touch

3. 
느끼다

4. 
만지다

▶정답 16쪽

C 그림에 알맞은 단어를 보기 에서 골라 쓰세요.

단어 쓰기

보기 feel see taste smell

1.

2.

3.

4.

D 잘 듣고, 그림에 알맞은 단어를 완성하세요.

단어 완성

1.

h __ ar

2.

__ __ ste

3.

sm __ l __

문장 쑥쑥

▶정답 16쪽

그림에 알맞은 단어를 골라 문장을 완성하세요.

1.

I can ______________.

(smell / see)

나는 볼 수 있어.

2.

I can ______________.

(hear / feel)

나는 들을 수 있어.

B 그림에 알맞은 단어를 보기에서 골라 문장을 완성하세요.

문장 쓰기

자신이 무엇을 할 수 있다고 말할 때는 'I can+동작을 나타내는 말.'로 해요.

보기 smell touch feel taste

1. I can ______________.

나는 만질 수 있어.

2. I can ______________.

나는 냄새를 맡을 수 있어.

3. I can ______________.

나는 맛볼 수 있어.

복습 실력 쑥쑥

▶정답 16쪽

A 잘 듣고, 알맞은 단어에 동그라미 한 후 우리말 뜻을 쓰세요.

5

1. smell / see
뜻 ______

2. feel / touch
뜻 ______

3. taste / hear
뜻 ______

B 그림에 알맞은 단어가 되도록 알파벳을 바르게 배열하여 쓰세요.

1. 
e f l e

2. 
m s l e l

3. 
u o t h c

4. 
a e s t t

차곡차곡 복습!

◉ 단어를 듣고, 우리말 뜻을 말해 보세요.

6

똑똑한 하루 3일 VOCA

나는 봄을 좋아해 단어

I Like Spring

재미있는 이야기로 오늘 배울 단어를 만나 보세요.

오늘 배울 단어를 듣고 따라 말한 후, 써 보세요.

spring
봄

summer
여름

fall
가을

winter
겨울

cool
시원한

warm
따뜻한

위의 그림을 짚으며 찬트 해 보세요.

단어 쑥쑥

A 잘 듣고, 알맞은 단어에 동그라미 하세요.

1. 

summer　　winter

2. 

spring　　cool

3. 

warm　　fall

B 그림에 알맞은 단어와 우리말 뜻을 연결하세요.

1. 	spring	겨울
2. 	winter	봄
3. 	fall	가을

▶정답 17쪽

C 그림에 알맞은 단어를 찾아 동그라미 한 후 빈칸에 쓰세요.

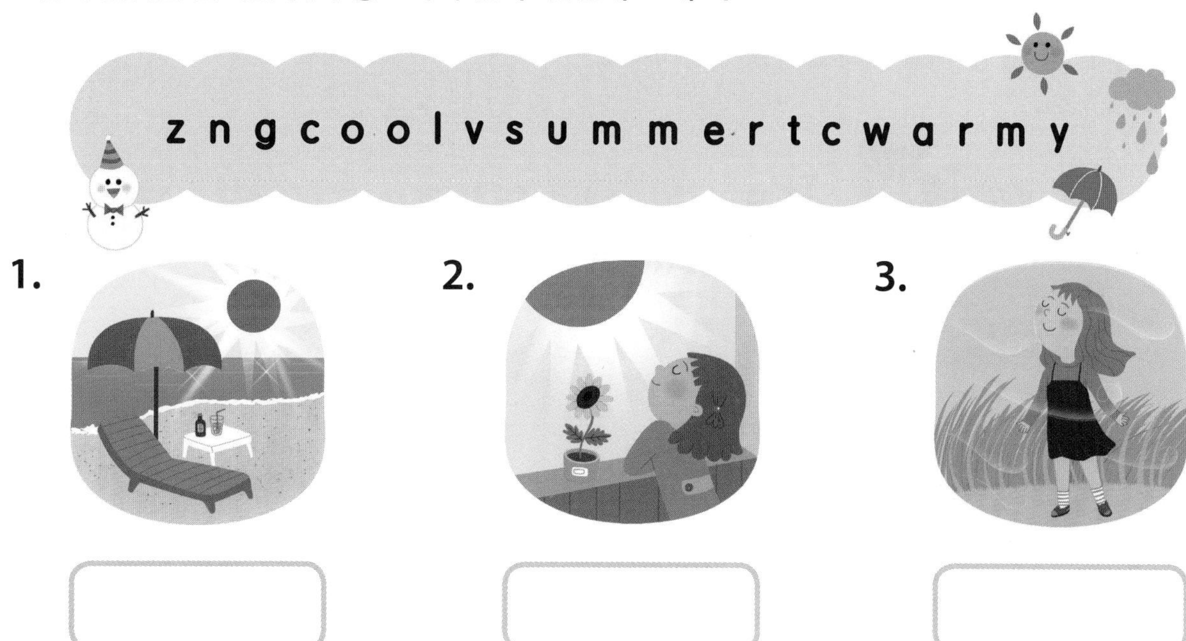

D 그림을 보고, 퍼즐을 완성하세요.

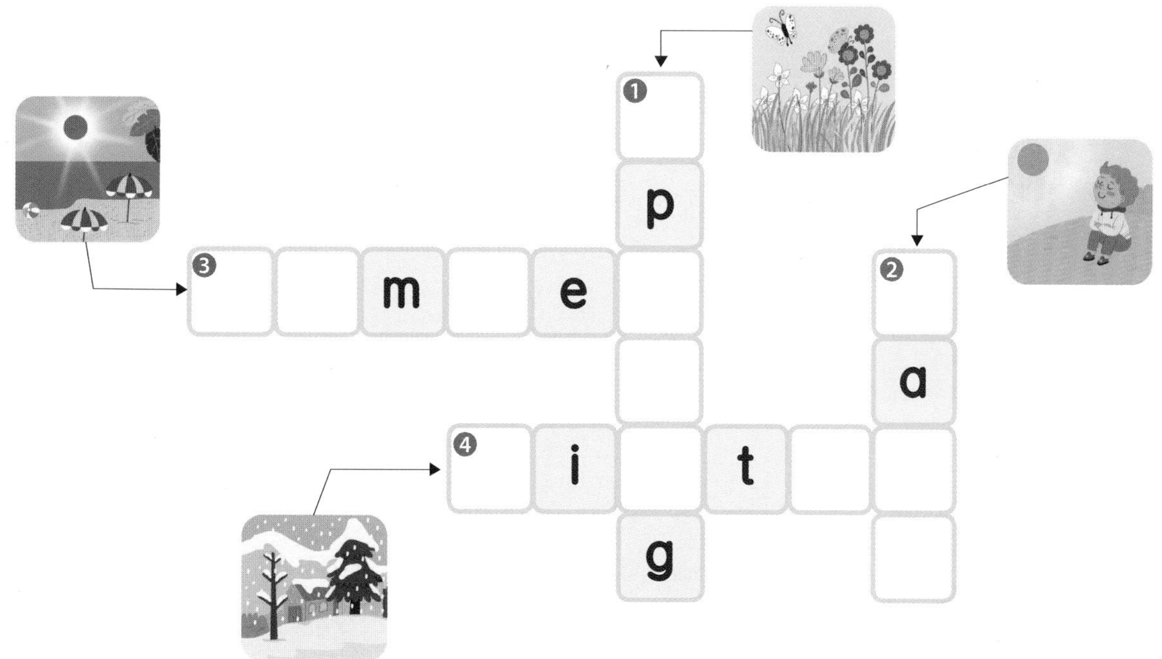

문장 쑥쑥

▶정답 17쪽

A 그림에 알맞은 단어를 골라 문장을 완성하세요.

문장 완성

1. 

It's ____________.
(warm / cool)
시원해.

2. 

It's ____________.
(cool / warm)
따뜻해.

B 그림에 알맞은 단어를 보기에서 골라 문장을 완성하세요.

자신이 좋아하는 계절을 말할 때는 'I like + 계절 이름.' 으로 해요.

문장 쓰기

보기	fall	winter	summer	spring

1. 

I like ____________.
나는 겨울을 좋아해.

2. 

I like ____________.
나는 여름을 좋아해.

3. 

I like ____________.
나는 가을을 좋아해.

실력 쑥쑥

▶정답 17쪽

A 잘 듣고, 알맞은 단어에 동그라미 한 후 우리말 뜻을 쓰세요.

1. winter / fall
뜻 ______

2. summer / cool
뜻 ______

3. spring / warm
뜻 ______

3주

B 그림에 알맞은 단어가 되도록 알파벳을 바르게 배열하여 쓰세요.

1. 
u s m r m e
______

2. 
t w e i r n
______

3. 
g i p n r s
______

4. 
l a f l
______

◉ 단어를 듣고, 우리말 뜻을 말해 보세요.

나는 봄에 정원을 가꿔

단어

I Make a Garden in Spring

재미있는 이야기로 오늘 배울 어구를 만나 보세요.

행복 초등학교 방송반 기자 김민호입니다. 라비의 지구 생활에 대한 인터뷰를 시작하겠습니다.

지구에 와서 봄에는 주로 어떤 활동을 하나요?
잘 자라렴.
봄에는 주로 make a garden을 해요. 맛있는 꿀을 얻고 싶어서요.

그리고 여름에는 swim at the beach 해요.
파다닥
툭
뭐, 뭐지?

가을은 어떻게 보내세요?
울긋불긋한 나뭇잎을 보면서 주로 take a walk 해요. 그런데 왜 가을에 나뭇잎 색이 변하나요?

쌩~
그건 나뭇잎을 초록색으로 보이게 하는 엽록소가 기온이 떨어지면서 없어지기 때문이야.

우이잉
아하! 그렇다면 여름에도 단풍잎을 볼 수 있는 방법이 있지.

앗, 이럴 수가! 나무가 통째로 얼어 버렸네.
헉!
쯧. 쯧.
긁적

오늘 배울 어구를 듣고 따라 말한 후, 써 보세요.

make a garden
정원을 가꾸다

swim at the beach
해변에서 수영하다

see beautiful leaves
아름다운 나뭇잎을 보다

make a snowman
눈사람을 만들다

meet new friends
새로운 친구들을 만나다

take a walk
산책을 하다

위의 그림을 짚으며 찬트 해 보세요.

단어 쑥쑥

A 잘 듣고, 알맞은 어구에 동그라미 하세요.

1. 

swim at the beach
see beautiful leaves

2. 

make a garden
make a snowman

3. 

take a walk
meet new friends

B 그림에 알맞은 어구를 연결하세요.

1. 

정원을 가꾸다

2. 

해변에서 수영하다

3. 

새로운 친구들을 만나다

4. 

아름다운 나뭇잎을 보다

- see beautiful leaves
- meet new friends
- swim at the beach
- make a garden

▶정답 18쪽

그림에 알맞은 어구를 보기 에서 골라 쓰세요.

보기 meet new friends　take a walk　see beautiful leaves

1.

2.

3.

잘 듣고, 그림에 알맞은 어구를 완성하세요.

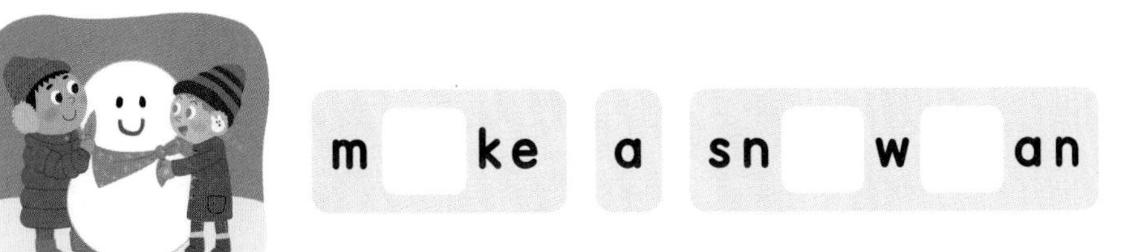

1. m ☐ ke a sn ☐ w ☐ an

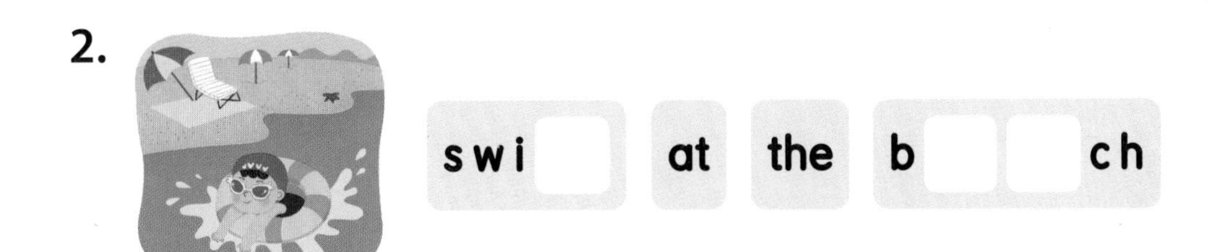

2. swi ☐ at the b ☐ ☐ ch

3. ta ☐ e a ☐ a ☐ k

문장 쑥쑥

▶정답 18쪽

A 그림에 알맞은 어구를 골라 문장을 완성하세요.

문장 완성

1. 

I ____________________ in summer.

(swim at the beach / see beautiful leaves)

나는 여름에 해변에서 수영을 해.

2. 

I ____________________ in spring.

(make a garden / make a snowman)

나는 봄에 정원을 가꿔.

B 그림에 알맞은 어구를 보기에서 골라 문장을 완성하세요.

'I + 동작을 나타내는 어구 + in 계절 이름.'으로 계절별로 하는 일을 말할 수 있어요.

문장 쓰기

보기 meet new friends   see beautiful leaves   make a snowman

1. 

I ____________________ in fall.

나는 가을에 아름다운 나뭇잎을 봐.

2. 

I ____________________ in winter.

나는 겨울에 눈사람을 만들어.

3. 

I ____________________ in spring.

나는 봄에 새로운 친구들을 만나.

복습 실력 쑥쑥

▶정답 18쪽

A 잘 듣고, 알맞은 어구에 동그라미 한 후 우리말 뜻을 쓰세요.

1. make a garden / meet new friends → 뜻
2. make a snowman / take a walk → 뜻
3. swim at the beach / see beautiful leaves → 뜻

B 그림에 알맞은 어구가 되도록 단어를 바르게 배열하여 쓰세요.

1. 

(at / swim / beach / the)

2. 

(garden / make / a)

3. (a / walk / take)

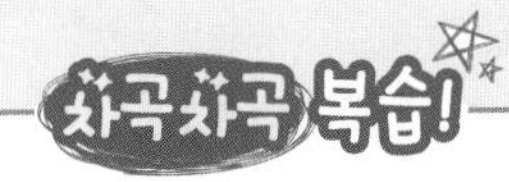

◉ 단어나 어구를 듣고, 우리말 뜻을 말해 보세요.

똑똑한 하루
5일
VOCA

스페셜 **SPECIAL VOCA**

여러 가지 뜻의 **다의어**

재미있는 이야기로 오늘 배울 단어를 만나 보세요.

라비의 오해

넌 또 그 옷이니? 좀 **cool**하게 입어 봐.
긁적
구리구리..

그건 나한테 맡겨!
휘이잉~
휘이잉~

어때? 이제 **cool**하지?
덜덜..
cool에는 '시원한'이란 뜻도 있지만 '멋진'이라는 뜻도 있어. 멋진 옷으로 입어 보란 말이었어.

라비의 행운

이제 조금만 더 가면 결승점이야.
탁탁...

왼쪽으로 가 볼까? 아냐, 내 느낌으로는 **right**으로 가야 할 것 같아.
지이잉-

네 말이 **right** 했어.
FINISH
휴~ 살았다.

민재의 착각

이건 마법의 상자야. 네가 좋아하는 것을 생각하면 그걸로 **full**해 있을 거야.
척

나는 내가 **full**한 게 좋아.
쩝~

너무 작은데?
힝~
내가 말 안 했나? 상자 크기 만큼 들어 있을 거라고.

오늘 배울 단어를 들으며 따라 말해 보세요.

right

❶ 맞는
❷ 오른쪽

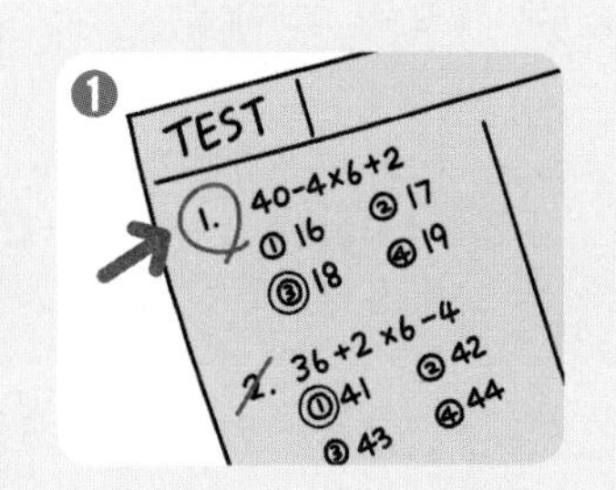

cool

❶ 시원한
❷ 멋진

full

❶ 가득 찬
❷ 배부른

hard

❶ 딱딱한
❷ 어려운

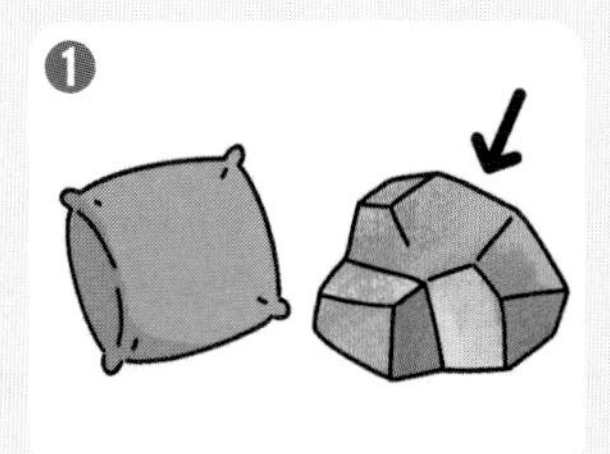

위의 그림을 짚으며 찬트 해 보세요.

단어 쑥쑥

잘 듣고, 알맞은 단어를 골라 기호를 쓰세요.

ⓒ full

1. 

2. 

3. 

그림에 알맞은 단어를 연결하세요.

1. 
딱딱한

어려운

2. 

맞는

오른쪽

- cool
- full
- right
- hard

▶정답 19쪽

그림에 알맞은 단어를 보기 에서 골라 쓰세요.

보기 full hard right cool

1.

2.

3.

4.

잘 듣고, 그림에 알맞은 단어를 완성하세요.

1.

c _ _ l

2.

_ ul _

단어 쑥쑥 플러스

▶정답 19쪽

◉ 단어를 따라 쓴 후, 알맞은 우리말 뜻을 모두 찾아 연결하세요.

1. 

시원한

오른쪽

2. full

가득 찬

어려운

3. hard

맞는

멋진

4. cool

딱딱한

배부른

실력 쑥쑥

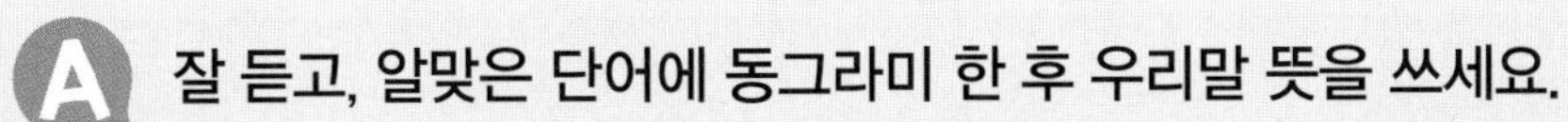

▶정답 19쪽

A 잘 듣고, 알맞은 단어에 동그라미 한 후 우리말 뜻을 쓰세요.

1. hard / cool
뜻 ____________

2. full / right
뜻 ____________

3. hard / full
뜻 ____________

B 그림에 알맞은 단어가 되도록 알파벳을 바르게 배열하여 쓰세요.

1.  
a d r h

2. 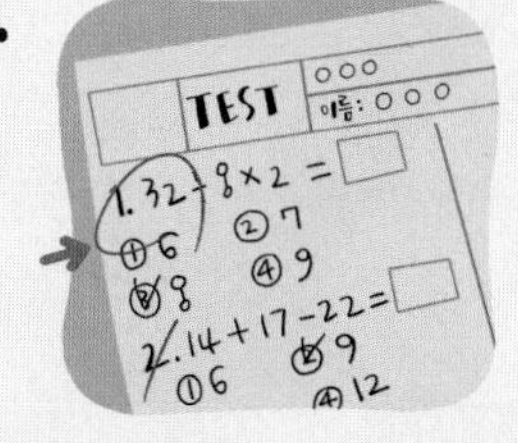

t i h r g

3.  
o l o c

차곡차곡 복습!

◉ 단어나 어구를 듣고, 우리말 뜻을 말해 보세요.

배운 내용을 떠올리며 말판 놀이를 해 보세요.

START
1. 그림을 보고 알맞은 단어에 동그라미 하세요.
smell
touch
2. 그림과 단어가 일치하면 ○ 표, 일치하지 않으면 × 표 하세요.
TEST
right
3. 그림을 보고 알파벳을 바르게 배열하여 단어를 쓰세요.
pgnisr
→ ______
4. 단어를 읽고 알맞은 우리말 뜻과 연결하세요.
smart
kind
똑똑한
친절한
5. 그림에 알맞은 단어를 완성하세요.
t__uc__
6. 어구를 읽고 알맞은 그림에 동그라미 하세요.
meet new friends

12. 그림에 알맞은 단어를 완성하세요.
u__l__
11. 그림과 어구가 일치하면 O 표, 일치하지 않으면 × 표 하세요.
make a garden
10. 단어를 읽고 알맞은 우리말 뜻과 연결하세요.
full
hard
딱딱한
가득 찬
FINISH
9. 그림을 보고 알맞은 단어에 동그라미 하세요.
warm
cool
8. 어구를 읽고 알맞은 그림에 동그라미 하세요.
take a walk
7. 그림을 보고 알파벳을 바르게 배열하여 단어를 쓰세요.
etats
→ ________

A 알파벳이 로봇을 만드는 기계를 통과하면 단어가 돼요. 기계의 화면에 나타난 그림을 보고 단어를 쓰세요.

1.

2.

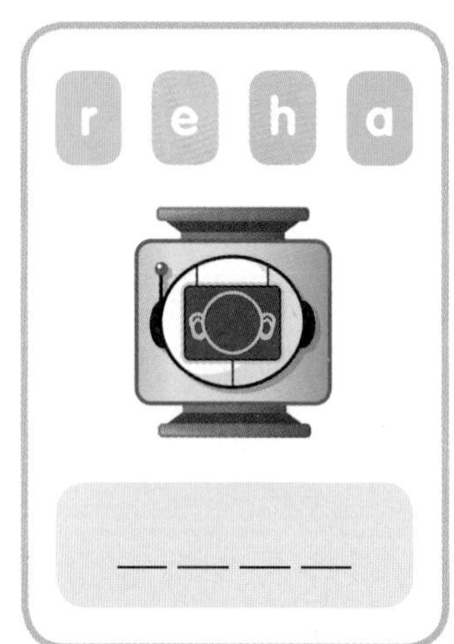

3.

B 화살표 방향대로 알파벳 칸을 따라가면 단어가 만들어져요. 힌트를 참고하여 단어를 쓰고, 우리말 뜻을 쓰세요.

힌트

k	a	e
e	f	l
o	출발	l

↑ ↑ ↘ ↓

단어: fall

뜻: 가을

1.

t	w	출발
a	r	m
h	n	u

← ↙ → →

단어: ___________

뜻: ___________

2.

e	b	y
a	m	s
r	t	출발

↑ ← ← ↓ →

단어: ___________

뜻: ___________

정답 20쪽

C 민재와 친구들이 뮤지컬 공연장에서 좌석을 고르고 있어요. 힌트 를 참고하여 단어를 쓴 후, 알맞은 그림에 동그라미 하세요.

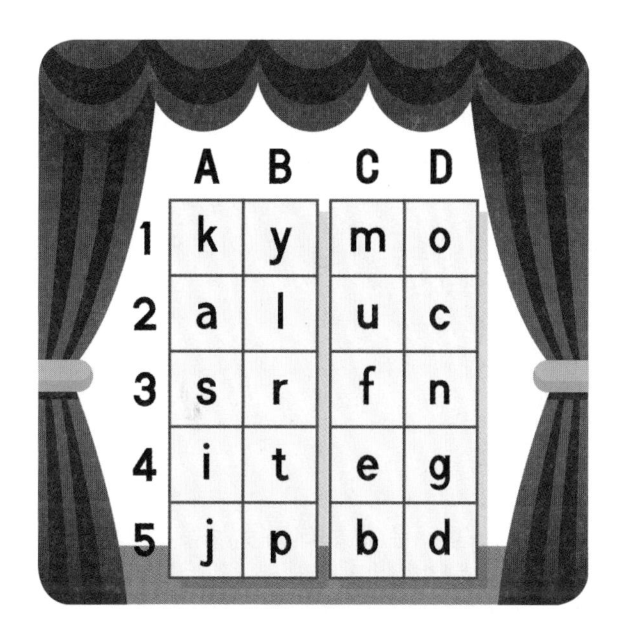

	A	B	C	D
1	k	y	m	o
2	a	l	u	c
3	s	r	f	n
4	i	t	e	g
5	j	p	b	d

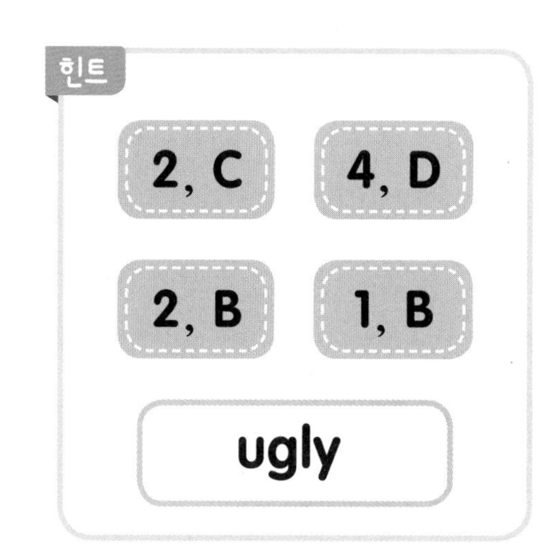

1\.

1, A　4, A　3, D　5, D

2\.

3 주

D 유주는 단어 서바이벌 게임을 하고 있어요. 보기 에서 각 단계의 지시에 맞게 살아남은 단어를 쓴 후, 마지막까지 살아남은 단어와 두 가지 우리말 뜻을 쓰세요.

보기 right cool full hard

1단계
같은 철자가 겹치거나 글자 수가 4개인 단어는 살아남습니다.
____

→

2단계
'어려운'이라는 뜻을 가진 단어는 탈락합니다.
____

↓

3단계
'배고픈'에 반대되는 뜻을 가진 단어는 탈락합니다.
____

←

우승
단어: ______________
뜻 1: ________ 뜻 2: ________

E 단서 를 읽고 아이들이 좋아하는 계절을 나타내는 단어와 이름을 쓰세요.

단서
유주는 winter를 싫어하고 fall을 좋아해요.
도진이는 spring을 좋아하고 summer를 싫어해요.
민재는 hot한 계절을 좋아해요.

1. 

단어: ________
이름: ________

2. 

단어: ________
이름: ________

3. 

단어: ________
이름: ________

정답 21쪽

F 도진이의 영어 공책에 물감이 튀어 얼룩이 졌어요. 얼룩에 공통으로 들어갈 철자를 쓴 후, 그림에 알맞은 어구를 쓰세요.

DATE . .
m t new friends
s b utiful l ves
t a walk
m a snowman

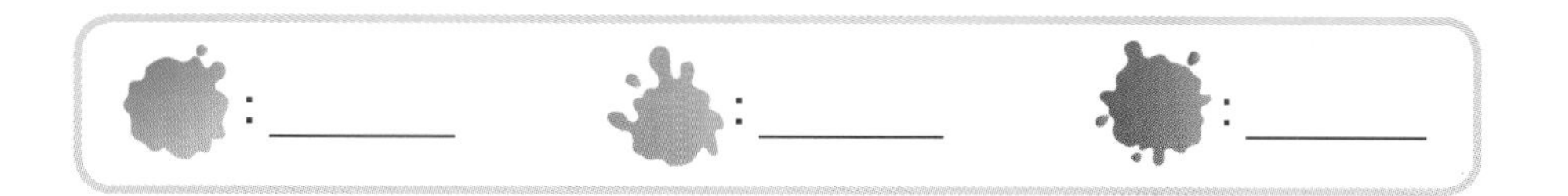

1. 

2. 

3. 

4. 

3주 누구나 100점 TEST

1 단어에 알맞은 그림을 고르세요.

funny

① 

② 

③ 

④ 

2 그림에 알맞은 단어를 고르세요.

① winter ② cool

③ warm ④ summer

3 그림에 없는 단어를 고르세요.

① see ② smell

③ hear ④ taste

4 그림과 어구가 일치하지 않는 것을 고르세요.

① 
swim at the beach

② 
take a walk

③ 
make a snowman

④ 
make a garden

맞은 개수 /8개

▶정답 21쪽

5 그림에 알맞은 단어를 보기에서 골라 기호를 쓰세요.

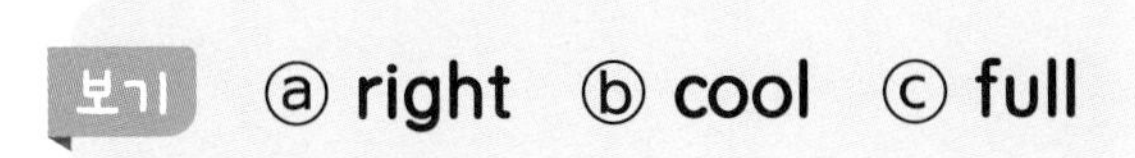

보기 ⓐ right ⓑ cool ⓒ full

(1) 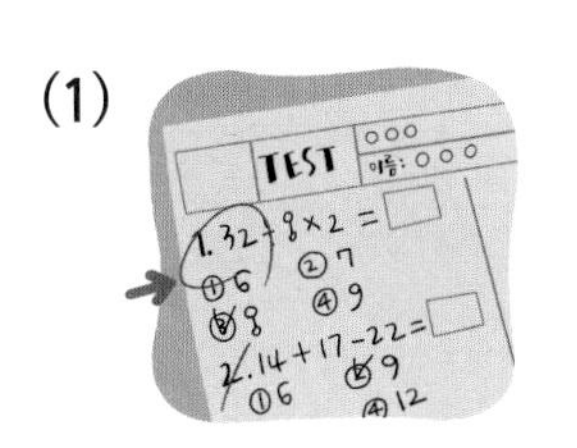

(2) 

6 그림을 보고 문장의 빈칸에 알맞은 단어를 고르세요.

He's ________.

① smart ② kind
③ ugly ④ handsome

7 그림에 알맞은 어구를 골라 쓰세요.

(take a walk / see beautiful leaves)

8 그림에 알맞은 단어가 되도록 알파벳을 바르게 배열하여 쓰세요.

(1) ________

(o c l o)

(2) ________

(a d r h)

3주

4주 4주에는 무엇을 공부할까? ①

재미있는 이야기로 이번 주에 공부할 내용을 알아보세요.

이번 주에는 물건의 주인을 묻고 답하는 표현과
가장 좋아하는 것, 방학에 한 일, 일과 그리고
여름에 할 일을 묻고 답하는 표현을 공부해 보자.

방긋

4 주

1일 **Whose Apple Juice Is This?**

2일 **What's Your Favorite Subject?**

3일 **What Did You Do During the Vacation?**

4일 **What Time Do You Get Up?**

5일 **What Will You Do This Summer?**

4주에는 무엇을 공부할까? ②

A

◉ 도진이가 자신의 물건이라고 말한 것에 ✓ 표 해 보세요.

답

B

4
주

◉ 유주가 일어나는 시각을 숫자로 써 보세요.

What time do you get up?

I get up at seven o'clock.

_______ 시

답 7

이것은 누구의 사과주스니?

쓰기

Whose Apple Juice Is This?

재미있는 이야기로 오늘 배울 표현을 만나 보세요.

오늘 배울 표현을 들으며 따라 말해 보세요.

Whose apple juice is this?
이것은 누구의 사과주스니?

It's mine.
그것은 내 거야.

Whose shoes are these?
이것들은 누구의 신발이니?

They're mine.
그것들은 내 거야.

apple juice
사과주스

textbook
교과서

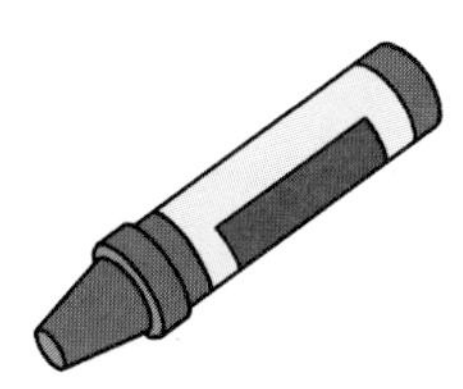

crayon
크레용

fruit salad
과일샐러드

shoes
신발

gloves
장갑

문장 쓰며 실력 쑥쑥

A 그림에 알맞은 단어에 동그라미 한 후 쓰세요.

1.

fruit salad

apple juice

2.

gloves

shoes

3.

textbook

crayon

B 단어를 따라 쓴 후 알맞은 그림에 연결하세요.

1. fruit salad •

2. crayon •

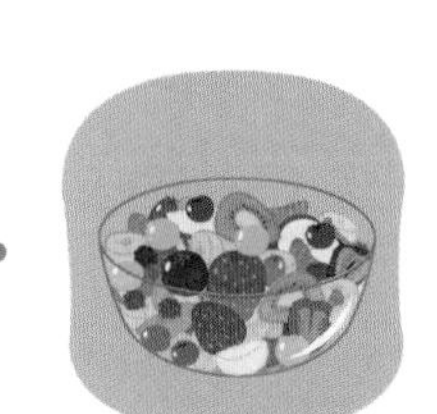

3. shoes •

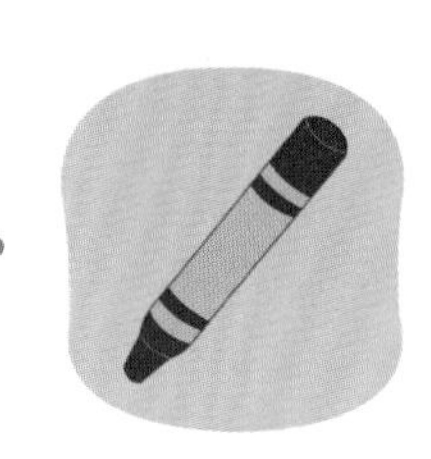

▶정답 22쪽

C 그림에 알맞은 단어에 동그라미 한 후 문장을 완성하세요.

1.

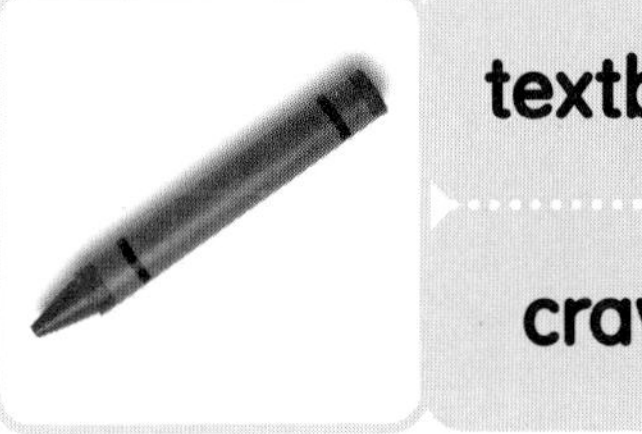

textbook / crayon

Whose ______________ is this?

이것은 누구의 크레용이니?

2.

gloves / shoes

Whose ____________ are these?

이것들은 누구의 장갑이니?

D 그림에 알맞은 단어를 보기 에서 골라 문장을 완성하세요.

보기 apple juice shoes fruit salad textbook

1.

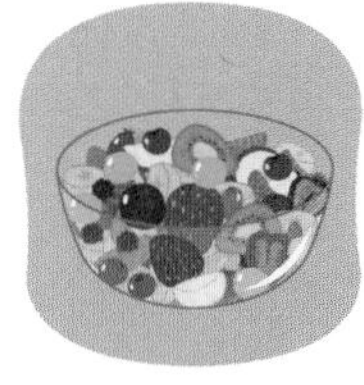
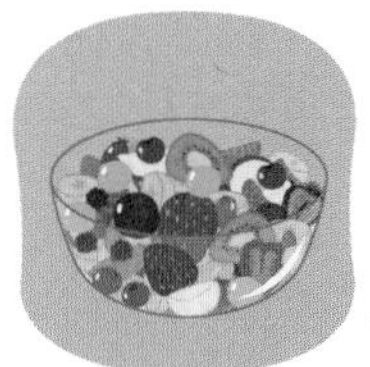

Whose ______________ is this?

이것은 누구의 과일샐러드니?

2.

Whose ______________ is this?

이것은 누구의 사과주스니?

3.

Whose ______________ are these?

이것들은 누구의 신발이니?

대화 완성하며 실력 쑥쑥

A 그림을 보고, 질문에 알맞은 대답에 ✓ 표 하세요.

1.

Whose textbook is this?

☐ It's mine.

☐ They're mine.

2.

Whose gloves are these?

☐ It's mine.

☐ They're mine.

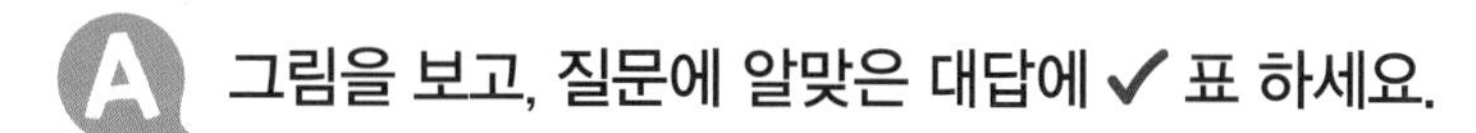

가까이에 있는 물건이 하나일 때는 this로, 여러 개일 때는 these로 사용해 가리켜요.

B 그림을 보고, 단어를 바르게 배열하여 질문을 쓰세요.

1.

A: ______________________

(is / fruit salad / this / Whose)

이것은 누구의 과일샐러드니?

B: It's mine.

그것은 내 거야.

2.

A: ______________________

(shoes / are / Whose / these)

이것들은 누구의 신발이니?

B: They're mine.

그것들은 내 거야.

▶정답 22쪽

C 그림에 알맞은 대화를 완성하세요.

1. 

A: Whose ____________________?

B: It's mine.

2. 

A: Whose ____________________?

B: They're mine.

3. 

A: ________________________

B: It's mine.

창의 서술형

D 친구의 물건을 그린 후 그 물건이 누구의 물건인지 묻는 대화를 완성하세요.

A: ________________________

B: __________ mine.

네가 가장 좋아하는 과목은 무엇이니?

쓰기

What's Your Favorite Subject?

재미있는 이야기로 오늘 배울 표현을 만나 보세요.

오늘 배울 표현을 들으며 따라 말해 보세요.

What's your favorite subject?
네가 가장 좋아하는 과목은 무엇이니?

My favorite subject is math.
내가 가장 좋아하는 과목은 수학이야.

subject

math
수학

food

fried rice
볶음밥

Korean
국어

noodles
국수

science
과학

potato pizza
감자피자

문장 쓰며 실력 쑥쑥

A 그림에 알맞은 단어에 동그라미 한 후 쓰세요.

1. 

fried rice

math

2. 

science

noodles

3. 

Korean

potato pizza

B 단어를 따라 쓴 후 알맞은 그림에 연결하세요.

1. noodles •

2. fried rice •

3. potato pizza •

• 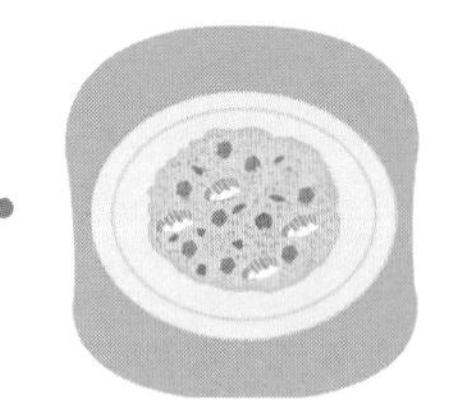

• 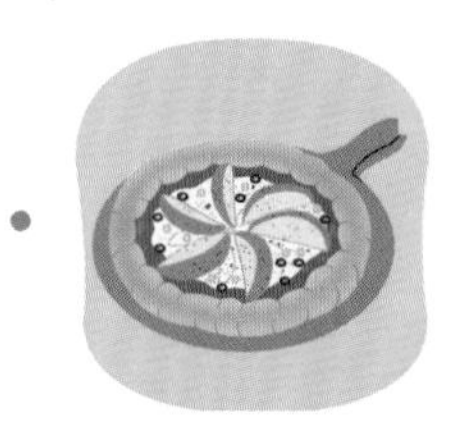

• 

▶정답 23쪽

그림에 알맞은 단어에 동그라미 한 후 문장을 완성하세요.

1.

food / subject

What's your favorite ____________?

네가 가장 좋아하는 음식은 무엇이니?

2.

subject / food

What's your favorite ____________?

네가 가장 좋아하는 과목은 무엇이니?

D 그림에 알맞은 단어를 보기 에서 골라 문장을 완성하세요.

보기 math fried rice noodles science

1.

My favorite food is ____________.

내가 가장 좋아하는 음식은 국수야.

2.

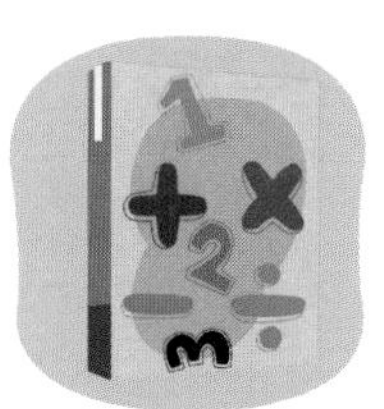

My favorite subject is ____________.

내가 가장 좋아하는 과목은 수학이야.

3.

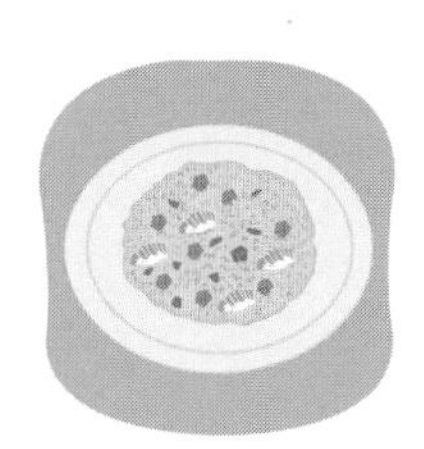

My favorite food is ____________.

내가 가장 좋아하는 음식은 볶음밥이야.

똑똑한 하루
2일
VOCA

대화 완성하며 실력 쑥쑥

A 그림을 보고, 질문에 알맞은 대답에 ✓ 표 하세요.

1.

What's your favorite subject?

- ☐ My favorite subject is Korean.
- ☐ My favorite subject is science.

2.

What's your favorite food?

- ☐ My favorite food is noodles.
- ☐ My favorite food is fried rice.

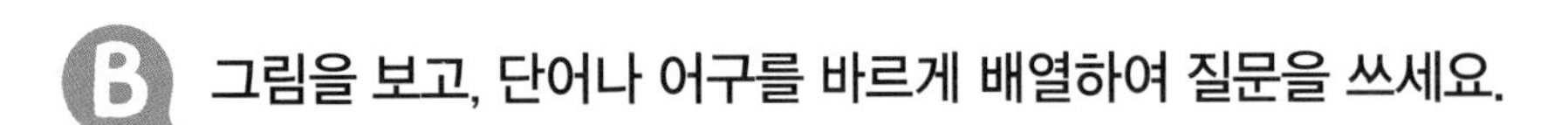

B 그림을 보고, 단어나 어구를 바르게 배열하여 질문을 쓰세요.

상대방이 가장 좋아하는 과목이나 음식을 물을 때는 What's your favorite subject(food)?로 해요.

1.

A: ______________________________

(favorite / your / What's / food)

네가 가장 좋아하는 음식은 무엇이니?

B: My favorite food is potato pizza.

내가 가장 좋아하는 음식은 감자피자야.

2.

A: ______________________________

(your / What's / subject / favorite)

네가 가장 좋아하는 과목은 무엇이니?

B: My favorite subject is math.

내가 가장 좋아하는 과목은 수학이야.

▶정답 23쪽

C 그림에 알맞은 대화를 완성하세요.

1\.

A: What's your favorite subject?

B: My favorite ______________________.

2\.

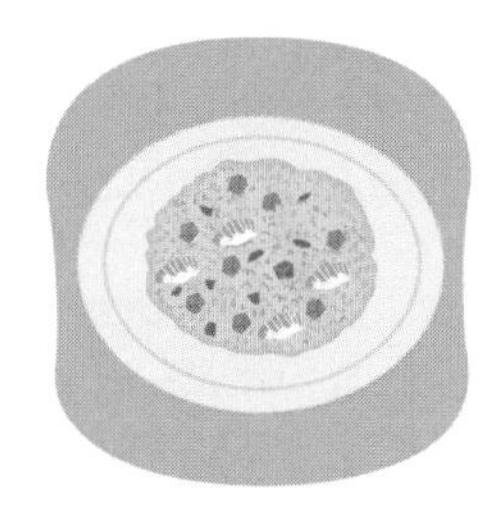

A: What's your favorite food?

B: My favorite ______________________.

3\.

A: What's your favorite subject?

B: ______________________________

창의 서술형

D 여러분이 가장 좋아하는 음식을 그린 후 질문에 알맞은 대답을 쓰세요.

A: What's your favorite food?

B: ______________________________

너는 방학 동안에 무엇을 했니?

쓰기

What Did You Do During the Vacation?

재미있는 이야기로 오늘 배울 표현을 만나 보세요.

오늘 배울 표현을 들으며 따라 말해 보세요.

What did you do during the vacation?
너는 방학 동안에 무엇을 했니?

I helped my mom.
나는 엄마를 도와드렸어.

helped my mom
엄마를 도와드렸다

watched a movie
영화를 보았다

went to the museum
박물관에 갔다

played soccer
축구를 했다

ate delicious food
맛있는 음식을 먹었다

made cookies
쿠키를 만들었다

문장 쓰며 실력 쑥쑥

A 그림에 알맞은 어구에 동그라미 한 후 쓰세요.

1.

played soccer

helped my mom

2.

ate delicious food

made cookies

B 어구를 따라 쓴 후 알맞은 그림에 연결하세요.

1. helped my mom

2. watched a movie

3. went to the museum

▶정답 24쪽

C 그림에 알맞은 어구에 동그라미 한 후 문장을 완성하세요.

1. 

watched a movie

made cookies

I ______________________.

나는 영화를 봤어.

2. 

helped my mom

ate delicious food

I ______________________.

나는 맛있는 음식을 먹었어.

D 그림에 알맞은 어구를 보기 에서 골라 문장을 완성하세요.

보기		
	made cookies	went to the museum
	played soccer	helped my mom

1. 

I ______________________.

나는 엄마를 도와드렸어.

2. 

I ______________________.

나는 쿠키를 만들었어.

3. 

I ______________________.

나는 박물관에 갔어.

똑똑한 하루
3 일
VOCA

대화 완성하며 실력 쑥쑥

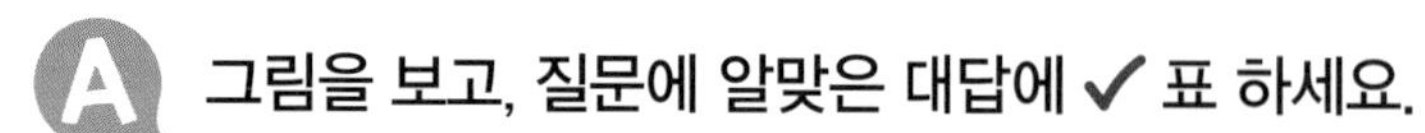

A 그림을 보고, 질문에 알맞은 대답에 ✓ 표 하세요.

1.

What did you do during the vacation?
음악
축제

☐ I went to the museum.

☐ I ate delicious food.

2.

What did you do during the vacation?

☐ I watched a movie.

☐ I made cookies.

방학 동안에 한 일을 물을 때는 What did you do during the vacation?으로 하고, 대답은 'I + 동작을 나타내는 말의 과거형 ~.'으로 해요.

B 그림을 보고, 단어나 어구를 바르게 배열하여 대답을 쓰세요.

1.

A: What did you do during the vacation?
너는 방학 동안에 무엇을 했니?

B: ______________________________

(soccer / played / I)
나는 축구를 했어.

2.

A: What did you do during the vacation?
너는 방학 동안에 무엇을 했니?

B: ______________________________

(the / museum / I / went to)
나는 박물관에 갔어.

▶정답 24쪽

C 그림에 알맞은 대화를 완성하세요.

1.

A: What did you do during the vacation?

B: I ____________________.

2. 

A: What did you do during the vacation?

B: I ____________________.

3. 

A: What did you do during the vacation?

B: ____________________

창의 서술형

D 여러분이 방학 동안 했던 일을 그린 후 질문에 알맞은 대답을 쓰세요.

A: What did you do during the vacation?

B: ____________________

너는 몇 시에 일어나니?

쓰기

What Time Do You Get Up?

재미있는 이야기로 오늘 배울 표현을 만나 보세요.

아침 6시

아함~ 졸려.
아직 새벽인데 왜 이렇게 일찍 나오라는 거야?
하암~
아침 일찍 상쾌하게 운동하면 좋잖아.

What time do you get up?
I get up at 7:40.

What time do you go to bed?
I go to bed at 10:40.
이것저것 할 게 많아서 10시 40분에 잠자리에 들어.
하나, 둘

일찍 일어나는 새가 벌레를 잡는다는 속담도 있잖아.
아침에 일찍 일어나면 좋은 점이 참 많아.
하루를 길게 쓸 수 있고, 아침밥을 챙겨 먹게 되니 두뇌 활동이 활발해진다고.
쩝~

다음 날, 아침 6시

쪼꼬야, 빨리 일어나!
일찍 일어나는 새가 벌레를 잡는다잖아.
네가 가장 좋아하는 지구 간식 잡으러 가자!
흔들

벌레다!
쪼꼬야, 위험해!

퍽
일찍 일어나는 외계인이 새를 잡는다!
우쭐
꽥~~

오늘 배울 표현을 들으며 따라 말해 보세요.

What time do you get up?
너는 몇 시에 일어나니?

I get up at 6:40.
나는 6시 40분에 일어나.

get up
일어나다

come home
집에 오다

take a walk
산책을 하다

read books
책을 읽다

watch TV
TV를 보다

go to bed
잠자리에 들다

문장 쓰며 실력 쑥쑥

A 그림에 알맞은 어구에 동그라미 한 후 쓰세요.

1.

read books

get up

2.

go to bed

come home

B 어구를 따라 쓴 후 알맞은 그림에 연결하세요.

1. take a walk •

2. come home •

3. read books •

• 

• 

• 

▶정답 25쪽

C 그림에 알맞은 어구에 동그라미 한 후 문장을 완성하세요.

1. come home / watch TV

What time do you ______________?

너는 몇 시에 TV를 보니?

2. 

get up / read books

What time do you ______________?

너는 몇 시에 책을 읽니?

D 그림에 알맞은 어구를 보기 에서 골라 문장을 완성하세요.

보기 come home go to bed take a walk get up

1. 6:40

I ______________ at 6:40.

나는 6시 40분에 일어나.

2. 

I ______________ at 9:20.

나는 9시 20분에 잠자리에 들어.

3. 

I ______________ at 5:30.

나는 5시 30분에 산책을 해.

대화 완성하며 실력 쑥쑥

A 그림을 보고, 질문에 알맞은 대답에 ✓ 표 하세요.

1.

What time do you come home?

- [ ] I come home at 2:20.
- [ ] I read books at 2:20.

2.

What time do you get up?

- [ ] I watch TV at 6:30.
- [ ] I get up at 6:30.

일과를 물을 때는 'What time do you + 동작을 나타내는 어구?'로 하고, 대답은 'I + 동작을 나타내는 어구 + at + 시각.'으로 해요.

B 그림을 보고, 단어나 어구를 바르게 배열하여 질문을 쓰세요.

1.

A: ______________________________

(do / What / take a walk / you / time)

너는 몇 시에 산책을 하니?

B: I take a walk at 5:10.

나는 5시 10분에 산책을 해.

2.

A: ______________________________

(go to bed / What / you / time / do)

너는 몇 시에 잠자리에 드니?

B: I go to bed at 10:20.

나는 10시 20분에 잠자리에 들어.

▶정답 25쪽

C 그림에 알맞은 대화를 완성하세요.

1.

A: What time do you ______________?

B: I ______________ at 3:40.

2.

A: What time do you ______________?

B: I ______________ at 7:30.

3.

A: What time do you ______________?

B: ______________________________

창의 서술형

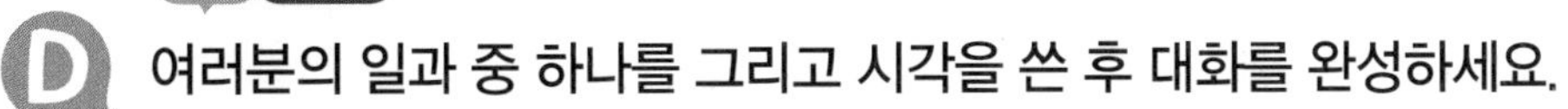

D 여러분의 일과 중 하나를 그리고 시각을 쓴 후 대화를 완성하세요.

A: What time do you ______________?

B: ______________________________

너는 이번 여름에 무엇을 할 거니?

쓰기

What Will You Do This Summer?

재미있는 이야기로 오늘 배울 표현을 만나 보세요.

오늘 배울 표현을 들으며 따라 말해 보세요.

What will you do this summer?
너는 이번 여름에 무엇을 할 거니?

I will join a book club.
나는 독서 동아리에 가입할 거야.

join a book club
독서 동아리에 가입하다

go on a picnic
소풍을 가다

learn Chinese
중국어를 배우다

practice the guitar
기타를 연습하다

visit my grandparents
조부모님 댁을 방문하다

swim at the beach
해변에서 수영하다

문장 쓰며 실력 쑥쑥

A 그림에 알맞은 어구에 동그라미 한 후 쓰세요.

1. 

learn Chinese

go on a picnic

2. 

swim at the beach

visit my grandparents

B 어구를 따라 쓴 후 알맞은 그림에 연결하세요.

1. join a book club •

2. practice the guitar •

3. visit my grandparents •

• 

• 

• 

▶정답 26쪽

C 그림에 알맞은 어구에 동그라미 한 후 문장을 완성하세요.

1. 

learn Chinese / swim at the beach

I will ______________________.

나는 해변에서 수영할 거야.

2. 

go on a picnic / join a book club

I will ______________________.

나는 소풍을 갈 거야.

D 그림에 알맞은 어구를 보기 에서 골라 문장을 완성하세요.

보기

visit my grandparents	practice the guitar
join a book club	learn Chinese

1. 

I will ______________________.

나는 기타를 연습할 거야.

2. 

I will ______________________.

나는 독서 동아리에 가입할 거야.

3. 

I will ______________________.

나는 조부모님 댁을 방문할 거야.

대화 완성하며 실력 쑥쑥

그림을 보고, 질문에 알맞은 대답에 ✓ 표 하세요.

1.

- ☐ I will go on a picnic.
- ☐ I will practice the guitar.

2.

- ☐ I will swim at the beach.
- ☐ I will learn Chinese.

B 그림을 보고, 단어나 어구를 바르게 배열하여 대답을 쓰세요.

이번 여름의 계획을 물을 때는 What will you do this summer?로 하고, 대답할 때는 'I will + 동작을 나타내는 어구.'로 해요.

1.

A: What will you do this summer?
너는 이번 여름에 무엇을 할 거니?

B: ______________________________

(my grandparents / will / I / visit)
나는 조부모님 댁을 방문할 거야.

2.

A: What will you do this summer?
너는 이번 여름에 무엇을 할 거니?

B: ______________________________

(will / I / a book club / join)
나는 독서 동아리에 가입할 거야.

▶정답 26쪽

그림에 알맞은 대화를 완성하세요.

1.

A: What will you do this summer?

B: I will ______________________.

2.

A: What will you do this summer?

B: I will ______________________.

3.

A: What will you do this summer?

B: ______________________

창의 서술형

여러분이 이번 여름에 하고 싶은 일을 그린 후 질문에 알맞은 대답을 쓰세요.

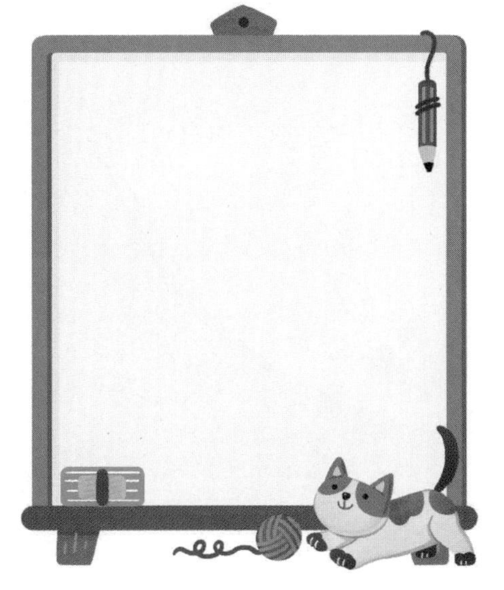

A: What will you do this summer?

B: ______________________

창의 · 융합 · 코딩 Brain Game Zone

배운 내용을 떠올리며 말판 놀이를 해 보세요.

START
1. 단어를 바르게 배열하여 대화를 완성하세요.
A: What will you do this summer?
B: I will ______________.
(book club / a / join)
2. 대화를 읽고 B가 이번 여름에 할 일을 골라 ✓표 하세요.
A: What will you do this summer?
B: I will go on a picnic.
소풍
기타 연습
3. 대화를 읽고 알맞은 그림에 동그라미 하세요.
A: What did you do during the vacation?
B: I helped my mom.
4. 대화와 내용이 일치하면 ○표, 일치하지 않으면 × 표 하세요.
A: What time do you come home?
B: I come home at 3:30.
3:30
5. 그림을 보고 대화의 빈칸 알맞은 단어를 쓰세요.
A: What's your favorite subject?
B: My favorite subject is ______________.

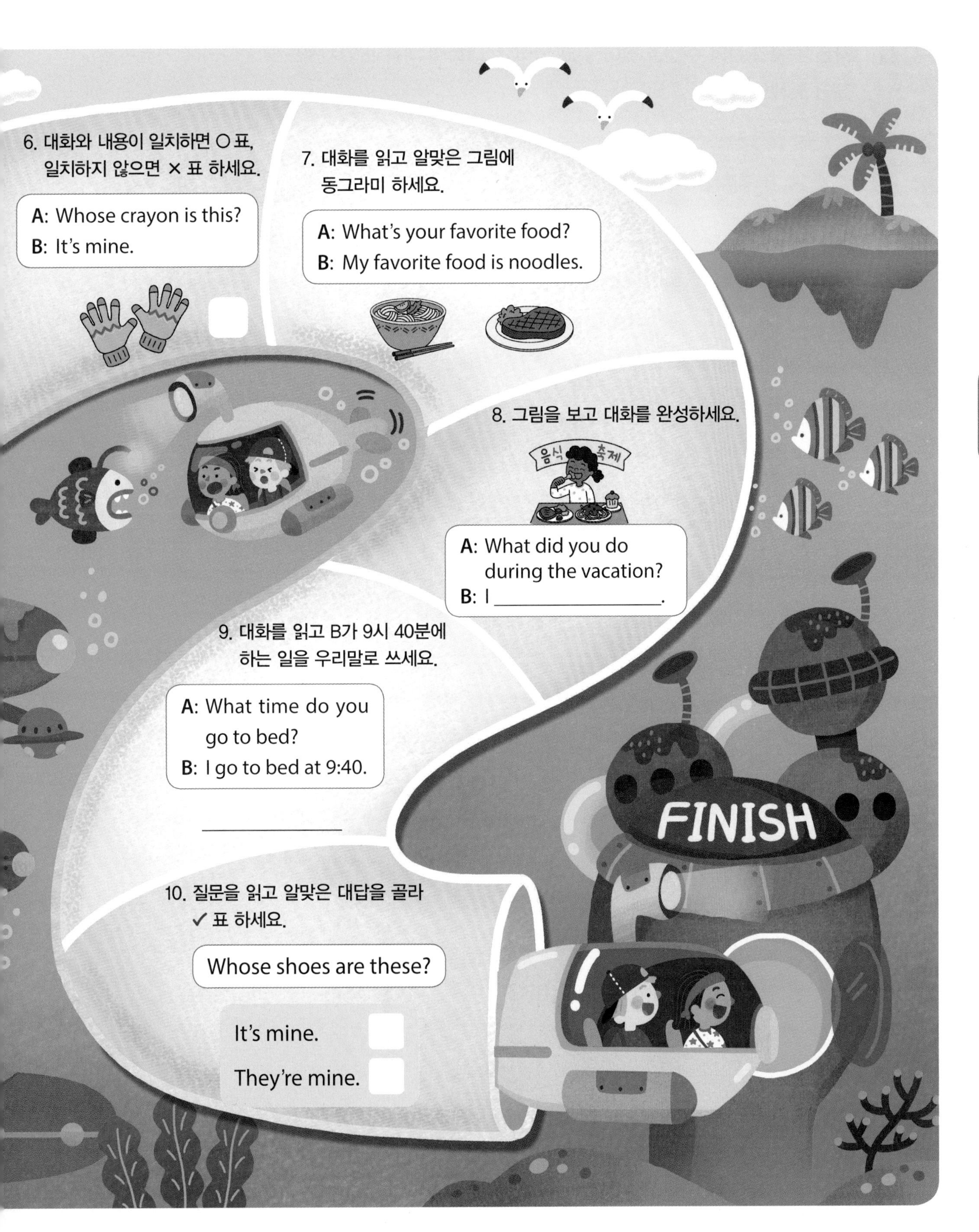
6. 대화와 내용이 일치하면 ○ 표, 일치하지 않으면 × 표 하세요.
A: Whose crayon is this?
B: It's mine.
7. 대화를 읽고 알맞은 그림에 동그라미 하세요.
A: What's your favorite food?
B: My favorite food is noodles.
8. 그림을 보고 대화를 완성하세요.
음식 축제
A: What did you do during the vacation?
B: I ________________.
9. 대화를 읽고 B가 9시 40분에 하는 일을 우리말로 쓰세요.
A: What time do you go to bed?
B: I go to bed at 9:40.
____
10. 질문을 읽고 알맞은 대답을 골라 ✓ 표 하세요.
Whose shoes are these?
It's mine.
They're mine.
FINISH

4 주

A 사물함 속 물건의 주인을 찾아 주고 있어요. 대화의 내용과 일치하도록 사다리에 가로선을 그어 보세요.

1.
Whose gloves are these?
They're mine.

2.
Whose shoes are these?
They're mine.

3.
Whose textbook is this?
It's mine.

4.
Whose crayon is this?
It's mine.

정답 27쪽

B 몬스터가 묻는 질문에 자신이 한 일과 다르게 대답한 사람의 이름을 쓰고, 해당 문장을 그림에 맞게 바르게 고쳐 쓰세요.

1.

What did you do during the vacation?

I went to the museum.

2.

What did you do during the vacation?

I played soccer.

3.

What did you do during the vacation?

I watched a movie.

4.

What did you do during the vacation?

I ate delicious food.

다르게 말한 사람 ______ 바르게 고친 문장 ______

C 친구들이 자신이 가장 좋아하는 음식과 과목에 대해 이야기하고 있어요. 단서 와 아이들의 말을 참고하여 보기 에서 알맞은 단어를 골라 대화를 완성하세요.

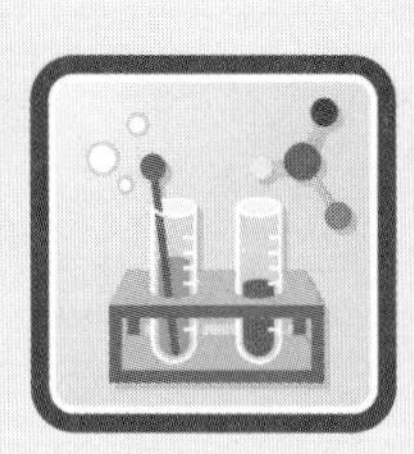

가
나
다

보기 **noodles** **science** **potato pizza** **Korean**

1.

 What's your favorite food?

 My favorite food is ______________.

내가 좋아하는
음식은 여러 조각으로
나누어져 있어.
진우

2.

 What's your favorite subject?

 My favorite ______________.

나는 한글을
발명한 세종 대왕을
존경해.
유진

3.

 What's your favorite food?

 ______________________

내가 좋아하는
음식은 젓가락으로
먹어야 해.
샛별

D 유주가 여름 방학 계획표를 만들었어요. 계획표를 보고 단서 의 단어를 바르게 배열하여 알맞은 어구를 써 대화를 완성하세요.

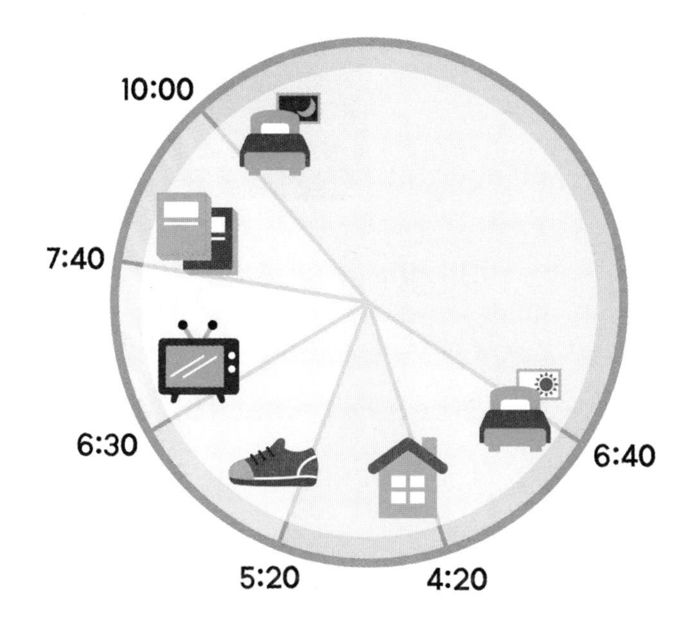

단서 come read get books up home

1.

A: What time do you ____________________?

B: I ____________________ at 7:40.

2.

A: What time do you ____________________?

B: I ____________________ at 4:20.

3.

A: What time do you ____________________?

B: I ____________________ at 6:40.

4주 누구나 100점 TEST

1 문장을 읽고 알맞은 그림을 고르세요.

I watched a movie.

② 

③ 

④ 

2 그림을 보고 문장의 빈칸에 알맞은 단어를 고르세요.

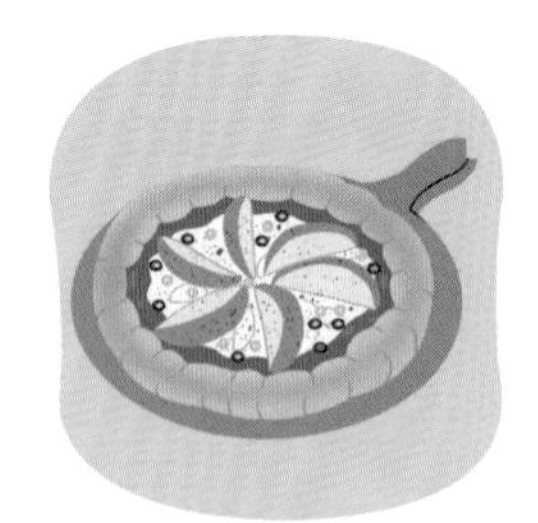

My favorite food is ________.

① Korean ② potato pizza
③ science ④ noodles

3 그림을 보고 알맞은 문장을 고르세요.

① I get up at 6:20.
② I read books at 4:20.
③ I go to bed at 10:20.
④ I come home at 3:20.

4 대화를 읽고 알맞은 그림을 고르세요.

A: What did you do during the vacation?
B: I made cookies.

① 

② 

③ 

④ 

맞은 개수 /8개

▶정답 28쪽

5 그림을 보고 대화의 빈칸에 알맞은 말이 바르게 짝 지어진 것을 고르세요.

A: Whose ______ are these?
B: ______ mine.

① boots - They're
② crayon - It's
③ gloves - They're
④ textbook - It's

6 그림을 보고 남자아이가 할 말로 알맞은 것을 고르세요.

A: What will you do this summer?
B: ______________________

① I will go on a picnic.
② I will swim at the beach.
③ I willl learn Chinese.
④ I will join a book club.

7 그림을 보고 빈칸에 알맞은 어구를 골라 쓰세요.

A: What did you do during the vacation?
B: I ______________________.
(helped my mom / played soccer)

8 그림을 보고 단어를 바르게 배열하여 대화를 완성하세요.

A: What will you do this summer?
B: ______________________
(will / visit / grandparents / I / my)

4 주

Words List

단어나 어구를 읽은 후 뜻을 기억하고 있는 것에 ✓표 해 보세요.

1주 1일

busy	☐	sick	☐
full	☐	sorry	☐
sleepy	☐	tired	☐

1주 2일

shoes	☐	socks	☐
boots	☐	gloves	☐
jeans	☐	glasses	☐

1주 3일

car	☐	bus	☐
ship	☐	train	☐
airplane	☐	subway	☐

1주 4일

saw sea birds	☐	learned Chinese	☐
joined a book club	☐	ate delicious food	☐
went to the museum	☐	made cookies	☐

1주 5일

brush	☐	drink	☐
plant	☐	water	☐

2주 1일

library ☐	bus stop ☐
bakery ☐	bank ☐
post office ☐	flower shop ☐

2주 2일

straight ☐	right ☐
left ☐	block ☐
up ☐	down ☐

2주 3일

tomorrow ☐	week ☐
weekend ☐	month ☐
year ☐	vacation ☐

2주 4일

visit my grandparents ☐	help my mom ☐
practice the guitar ☐	go on a picnic ☐
watch a movie ☐	stay at home ☐

2주 5일

teacher ☐	farmer ☐
painter ☐	designer ☐
dancer ☐	writer ☐

3주 1일

handsome	beautiful
ugly	kind
smart	funny

3주 2일

see	smell
touch	taste
hear	feel

3주 3일

spring	summer
fall	winter
cool	warm

3주 4일

make a garden	swim at the beach
see beautiful leaves	make a snowman
meet new friends	take a walk

3주 5일

right	cool
full	hard

memo

memo

1
2
3
4
5
6
7
8
9
10
11
12
13
14
15
16

sorry	full	sick	busy
socks	shoes	tired	sleepy
glasses	jeans	gloves	boots
train	ship	bus	car

17
18
19
20
你好
21
22
음식 축제
23
24
25
26
27
28
29
30
31
32

learned Chinese	saw sea birds	subway	airplane
made cookies	went to the museum	ate delicious food	joined a book club
drink	drink	brush	brush
water	water	plant	plant

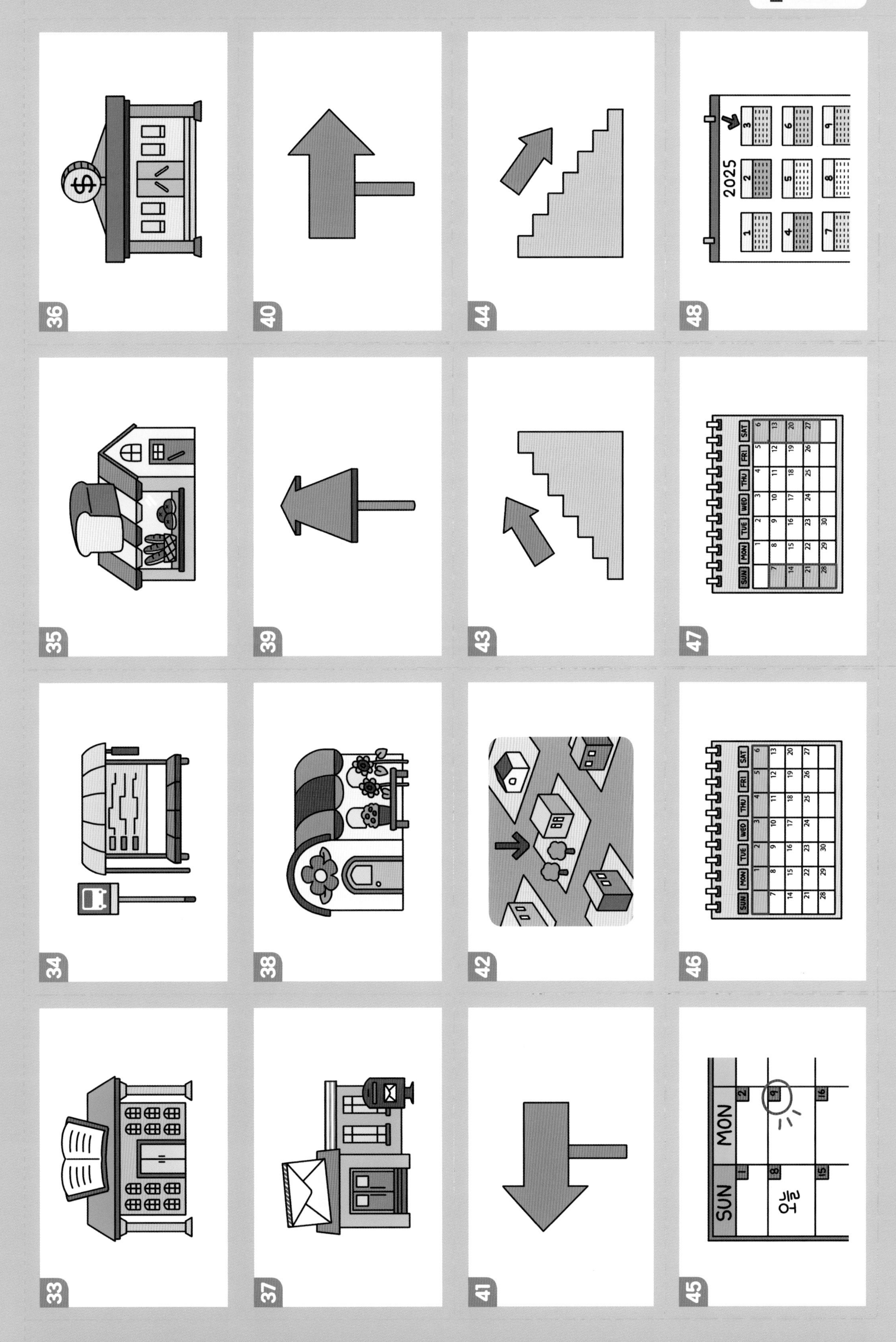

bank	bakery	bus stop	library
right	straight	flower shop	post office
down	up	block	left
month	weekend	week	tomorrow

49
2021
2022
2023
50
방학식
51
52
53
54
55
56
57
58
59
60
61
62
63
64

help my mom	visit my grandparents	vacation	year
stay at home	watch a movie	go on a picnic	practice the guitar
designer	painter	farmer	teacher
beautiful	handsome	writer	dancer

65
66
67
(a+b)(a-b) = a²-b²
68
69
70
71
72
73
74
75
76
77
78
79
80

funny	smart	kind	ugly
taste	touch	smell	see
summer	spring	feel	hear
warm	cool	winter	fall

81
82
83
84
85
86
87
TEST
1. 40-4×6+2
① 16 ② 17
③ 18 ④ 19
2. 36+2×6-4
① 41 ② 42
③ 43 ④ 44
88
89
90
91
92
93
94

make a snowman

see beautiful leaves

swim at the beach

make a garden

right

right

take a walk

meet new friends

full

full

cool

cool

hard

hard

힘이 되는
좋은 말

나는 그 누구보다도 실수를 많이 한다.
그리고 그 실수들 대부분에서
특허를 받아낸다.

I make more mistakes than anybody
and get a patent from those mistakes.

토마스 에디슨

실수는 '이제 난 안돼, 끝났어'라는 의미가 아니에요.
성공에 한 발자국 가까이 다가갔으니, 더 도전해보면 성공할 수 있다는
메시지랍니다. 그러니 실수를 두려워하지 마세요.

뭘 좋아할지 몰라 다 준비했어♥
전과목 교재

전과목 시리즈 교재

●우등생 해법시리즈

– 국어/수학	1~6학년, 학기용
– 사회/과학	3~6학년, 학기용
– 봄·여름/가을·겨울	1~2학년, 학기용
– SET(전과목/국수, 국사과)	1~6학년, 학기용

●똑똑한 하루 시리즈

– 똑똑한 하루 독해	예비초~6학년, 총 14권
– 똑똑한 하루 글쓰기	예비초~6학년, 총 14권
– 똑똑한 하루 어휘	예비초~6학년, 총 14권
– 똑똑한 하루 수학	1~6학년, 학기용
– 똑똑한 하루 계산	예비초~6학년, 총 14권
– 똑똑한 하루 사고력	1~6학년, 학기용
– 똑똑한 하루 도형	예비초~6학년, 단계별
– 똑똑한 하루 사회/과학	3~6학년, 학기용
– 똑똑한 하루 봄/여름/가을/겨울	1~2학년, 총 8권
– 똑똑한 하루 안전	1~2학년, 총 2권
– 똑똑한 하루 Voca	3~6학년, 학기용
– 똑똑한 하루 Reading	초3~초6, 학기용
– 똑똑한 하루 Grammar	초3~초6, 학기용
– 똑똑한 하루 Phonics	예비초~초등, 총 8권

●초등 문해력 독해가 힘이다

– 비문학편	3~6학년, 단계별

영어 교재

●초등영어 교과서 시리즈

파닉스(1~4단계)	3~6학년, 학년용
회화(입문1~2, 1~6단계)	3~6학년, 학기용
영단어(1~4단계)	3~6학년, 학년용
●셀파 English(머휘/회화/문법)	3~6학년
●Reading Farm(Level 1~4)	3~6학년
●Grammar Town(Level 1~4)	3~6학년
●LOOK BOOK 명단어	3~6학년, 단행본
●원서 읽는 LOOK BOOK 명단어	3~6학년, 단행본
●멘토 Story Words	2~6학년, 총 6권

똑 똑 한

하루 VOCA

매일매일
쌓이는
영어 기초력

정답

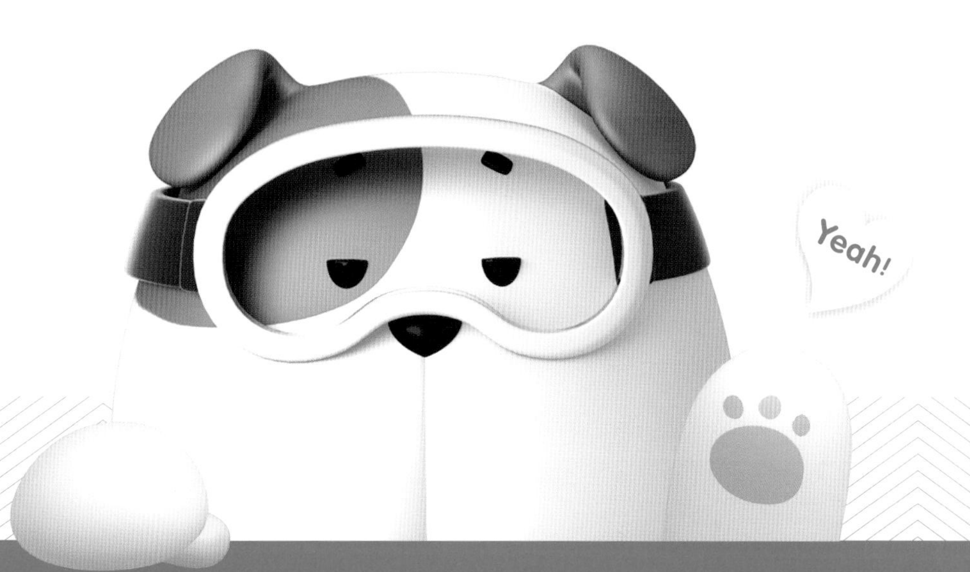

3B

5학년 영어

천재교육

정답

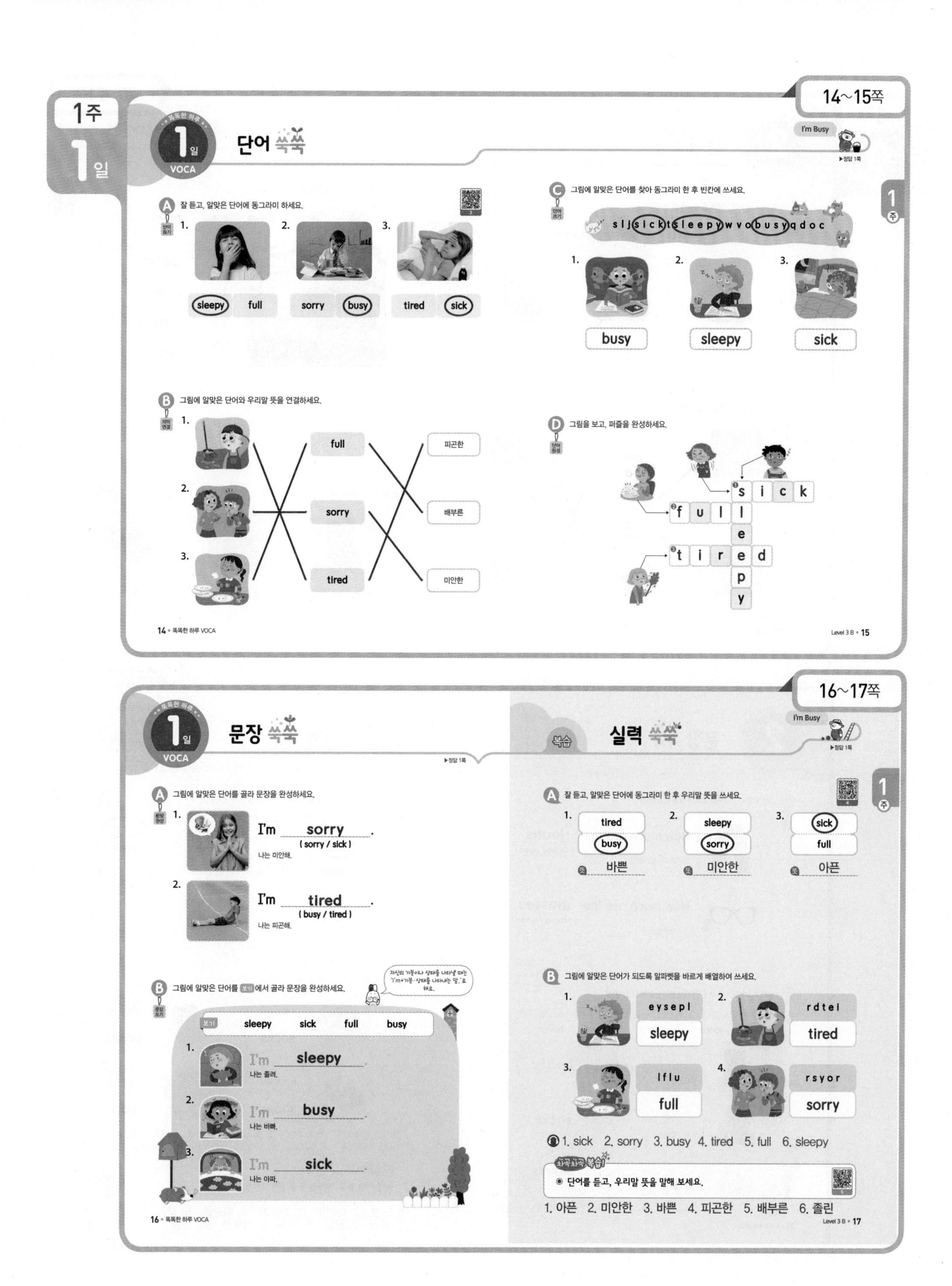

14~15쪽

1주 1일

1일 VOCA 단어 쑥쑥

I'm Busy

A 잘 듣고, 알맞은 단어에 동그라미 하세요.

1. (sleepy) full 2. sorry (busy) 3. tired (sick)

B 그림에 알맞은 단어와 우리말 뜻을 연결하세요.

1. full — 피곤한 2. sorry — 배부른 3. tired — 미안한

C 그림에 알맞은 단어를 찾아 동그라미 한 후 빈칸에 쓰세요.

s l j (s i c k) t (s l e e p y) w v o (b u s y) q d o c

1. busy 2. sleepy 3. sick

D 그림을 보고, 퍼즐을 완성하세요.

1 sick 1 sleepy 2 full 3 tired

14 • 똑똑한 하루 VOCA

Level 3 B • 15

16~17쪽

1일 VOCA 문장 쑥쑥

A 그림에 알맞은 단어를 골라 문장을 완성하세요.

1. I'm sorry . (sorry / sick) 나는 미안해.

2. I'm tired . (busy / tired) 나는 피곤해.

B 그림에 알맞은 단어를 보기에서 골라 문장을 완성하세요.

자신의 기분이나 상태를 나타낼 때는 'I'm+기분·상태를 나타내는 말.'로 해요.

보기 sleepy sick full busy

1. I'm sleepy . 나는 졸려.

2. I'm busy . 나는 바빠.

3. I'm sick . 나는 아파.

16 • 똑똑한 하루 VOCA

복습 실력 쑥쑥

A 잘 듣고, 알맞은 단어에 동그라미 한 후 우리말 뜻을 쓰세요.

1. tired (busy) 뜻 바쁜 2. sleepy (sorry) 뜻 미안한 3. (sick) full 뜻 아픈

B 그림에 알맞은 단어가 되도록 알파벳을 바르게 배열하여 쓰세요.

1. eysepl sleepy 2. rdtei tired 3. lflu full 4. rsyor sorry

1. sick 2. sorry 3. busy 4. tired 5. full 6. sleepy

차곡차곡 복습!

◉ 단어를 듣고, 우리말 뜻을 말해 보세요.

1. 아픈 2. 미안한 3. 바쁜 4. 피곤한 5. 배부른 6. 졸린

Level 3 B • 17

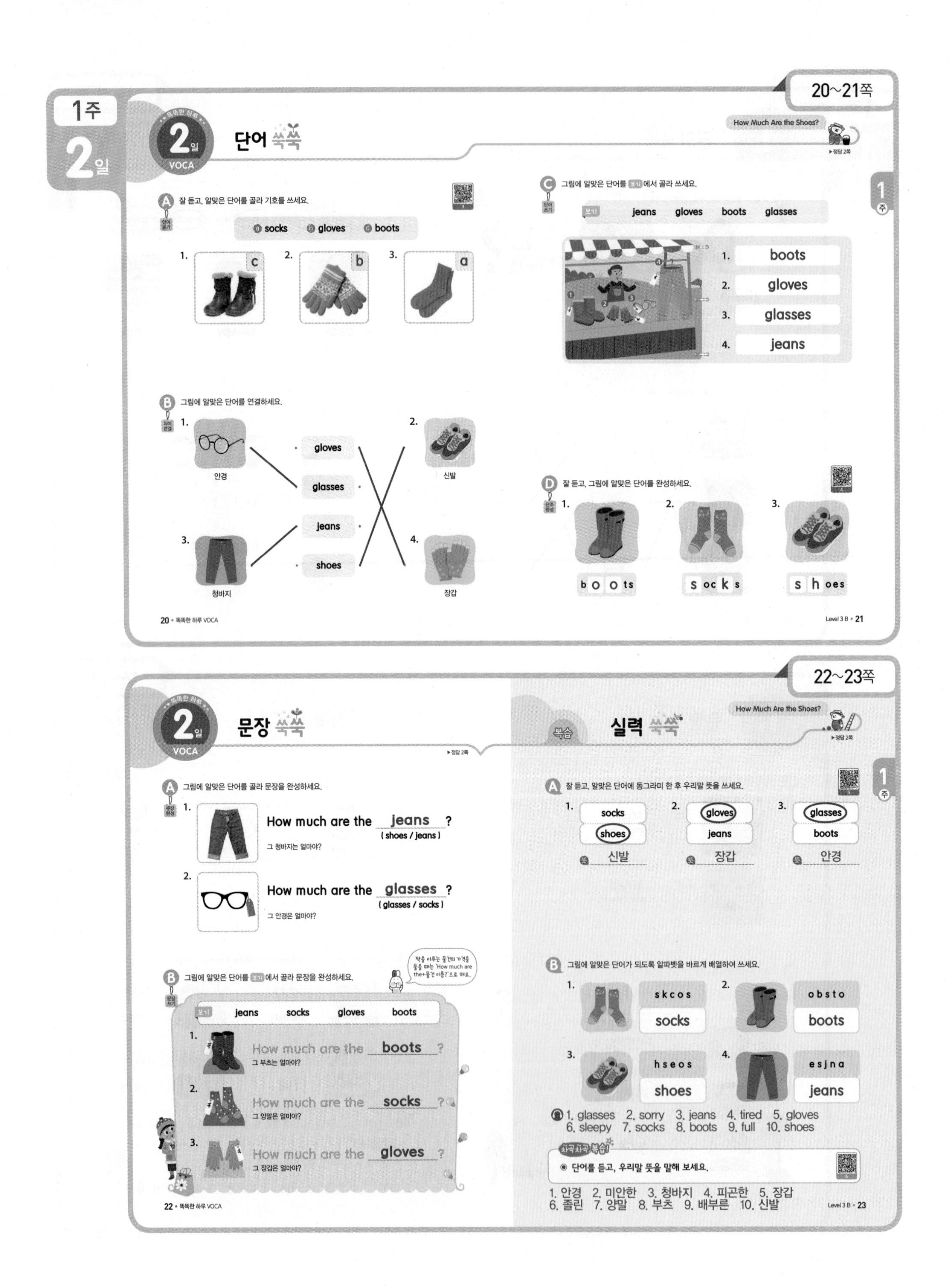

20~21쪽

1주 2일

2일 VOCA 단어 쑥쑥

How Much Are the Shoes?

▶정답 2쪽

A 잘 듣고, 알맞은 단어를 골라 기호를 쓰세요.

ⓐ socks ⓑ gloves ⓒ boots

1. c 2. b 3. a

B 그림에 알맞은 단어를 연결하세요.

1. 안경 – glasses
2. 신발 – shoes
3. 청바지 – jeans
4. 장갑 – gloves

C 그림에 알맞은 단어를 보기에서 골라 쓰세요.

보기 jeans gloves boots glasses

1. boots
2. gloves
3. glasses
4. jeans

D 잘 듣고, 그림에 알맞은 단어를 완성하세요.

1. b o o ts 2. s oc k s 3. s h oes

20 • 똑똑한 하루 VOCA

Level 3 B • 21

22~23쪽

2일 VOCA 문장 쑥쑥

▶정답 2쪽

A 그림에 알맞은 단어를 골라 문장을 완성하세요.

1. How much are the jeans ? (shoes / jeans)
그 청바지는 얼마야?

2. How much are the glasses ? (glasses / socks)
그 안경은 얼마야?

B 그림에 알맞은 단어를 보기에서 골라 문장을 완성하세요.

짝을 이루는 물건의 가격을 물을 때는 'How much are the+물건 이름?'으로 해요.

보기 jeans socks gloves boots

1. How much are the boots ?
그 부츠는 얼마야?

2. How much are the socks ?
그 양말은 얼마야?

3. How much are the gloves ?
그 장갑은 얼마야?

22 • 똑똑한 하루 VOCA

복습 실력 쑥쑥

How Much Are the Shoes?

▶정답 2쪽

A 잘 듣고, 알맞은 단어에 동그라미 한 후 우리말 뜻을 쓰세요.

1. socks / (shoes) 뜻 신발
2. (gloves) / jeans 뜻 장갑
3. (glasses) / boots 뜻 안경

B 그림에 알맞은 단어가 되도록 알파벳을 바르게 배열하여 쓰세요.

1. skcos – socks
2. obsto – boots
3. hseos – shoes
4. esjna – jeans

1. glasses 2. sorry 3. jeans 4. tired 5. gloves
6. sleepy 7. socks 8. boots 9. full 10. shoes

차곡차곡 복습!

◉ 단어를 듣고, 우리말 뜻을 말해 보세요.

1. 안경 2. 미안한 3. 청바지 4. 피곤한 5. 장갑
6. 졸린 7. 양말 8. 부츠 9. 배부른 10. 신발

Level 3 B • 23

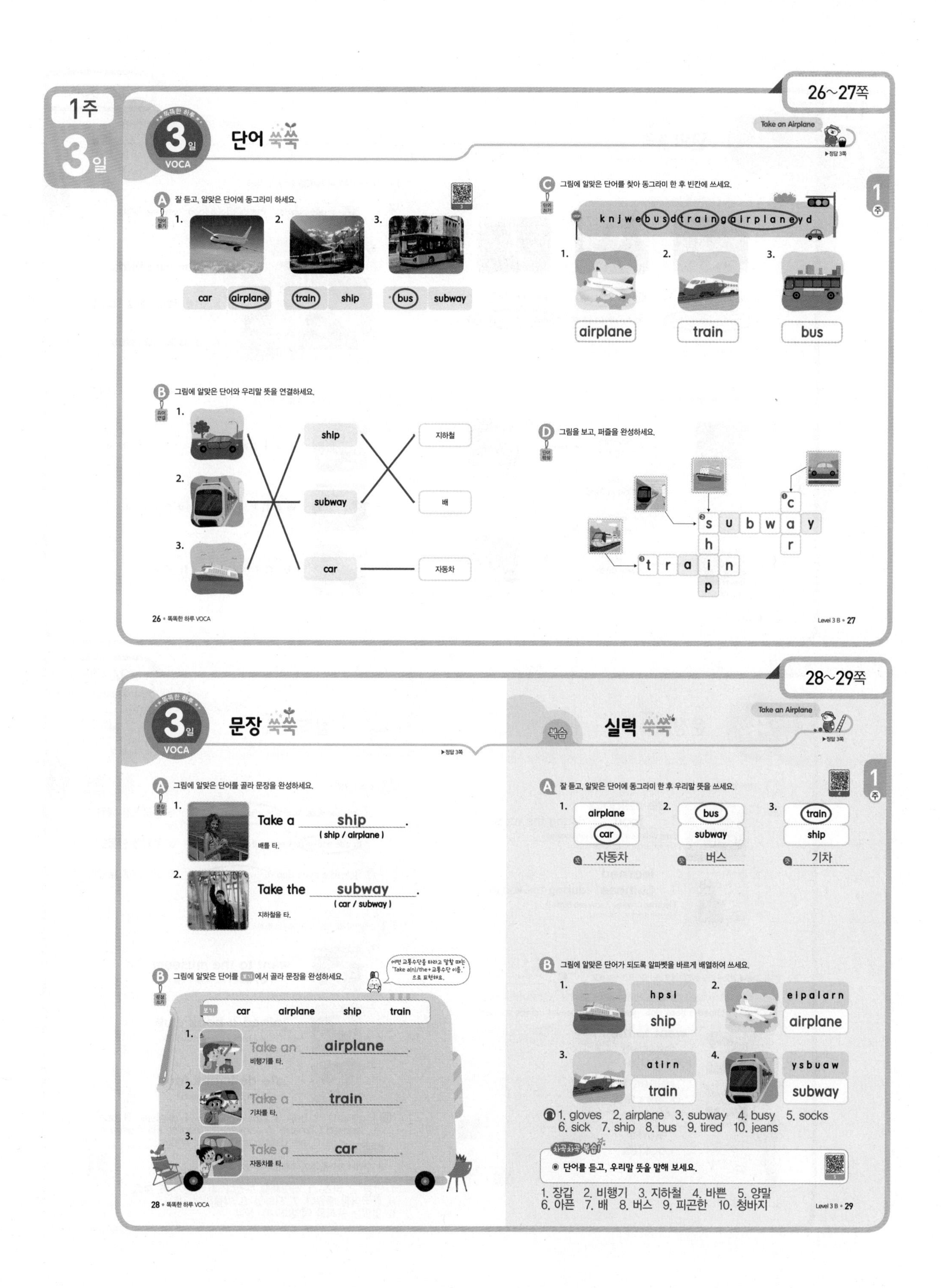

1주 3일

26~27쪽

3일 VOCA 단어 쑥쑥

Take an Airplane ▶정답 3쪽

A 잘 듣고, 알맞은 단어에 동그라미 하세요.

1. car (airplane) 2. (train) ship 3. (bus) subway

B 그림에 알맞은 단어와 우리말 뜻을 연결하세요.

1. car – 자동차
2. subway – 지하철
3. ship – 배

C 그림에 알맞은 단어를 찾아 동그라미 한 후 빈칸에 쓰세요.

k n j w e (b u s) d (t r a i n) g (a i r p l a n e) y d

1. airplane 2. train 3. bus

D 그림을 보고, 퍼즐을 완성하세요.

❶ c a r (down)
❷ s u b w a y (across), s h i p (down)
❸ t r a i n (across)

26 • 똑똑한 하루 VOCA

Level 3 B • 27

28~29쪽

3일 VOCA 문장 쑥쑥 ▶정답 3쪽

A 그림에 알맞은 단어를 골라 문장을 완성하세요.

1. Take a ship. (ship / airplane) 배를 타.
2. Take the subway. (car / subway) 지하철을 타.

B 그림에 알맞은 단어를 보기에서 골라 문장을 완성하세요.

어떤 교통수단을 타라고 말할 때는 'Take a(n)/the + 교통수단 이름.'으로 표현해요.

보기 car airplane ship train

1. Take an airplane. 비행기를 타.
2. Take a train. 기차를 타.
3. Take a car. 자동차를 타.

28 • 똑똑한 하루 VOCA

복습 실력 쑥쑥

Take an Airplane ▶정답 3쪽

A 잘 듣고, 알맞은 단어에 동그라미 한 후 우리말 뜻을 쓰세요.

1. airplane (car) 자동차
2. (bus) subway 버스
3. (train) ship 기차

B 그림에 알맞은 단어가 되도록 알파벳을 바르게 배열하여 쓰세요.

1. hpsi – ship
2. eipalarn – airplane
3. atirn – train
4. ysbuaw – subway

1. gloves 2. airplane 3. subway 4. busy 5. socks
6. sick 7. ship 8. bus 9. tired 10. jeans

차곡차곡 복습!

◉ 단어를 듣고, 우리말 뜻을 말해 보세요.

1. 장갑 2. 비행기 3. 지하철 4. 바쁜 5. 양말
6. 아픈 7. 배 8. 버스 9. 피곤한 10. 청바지

Level 3 B • 29

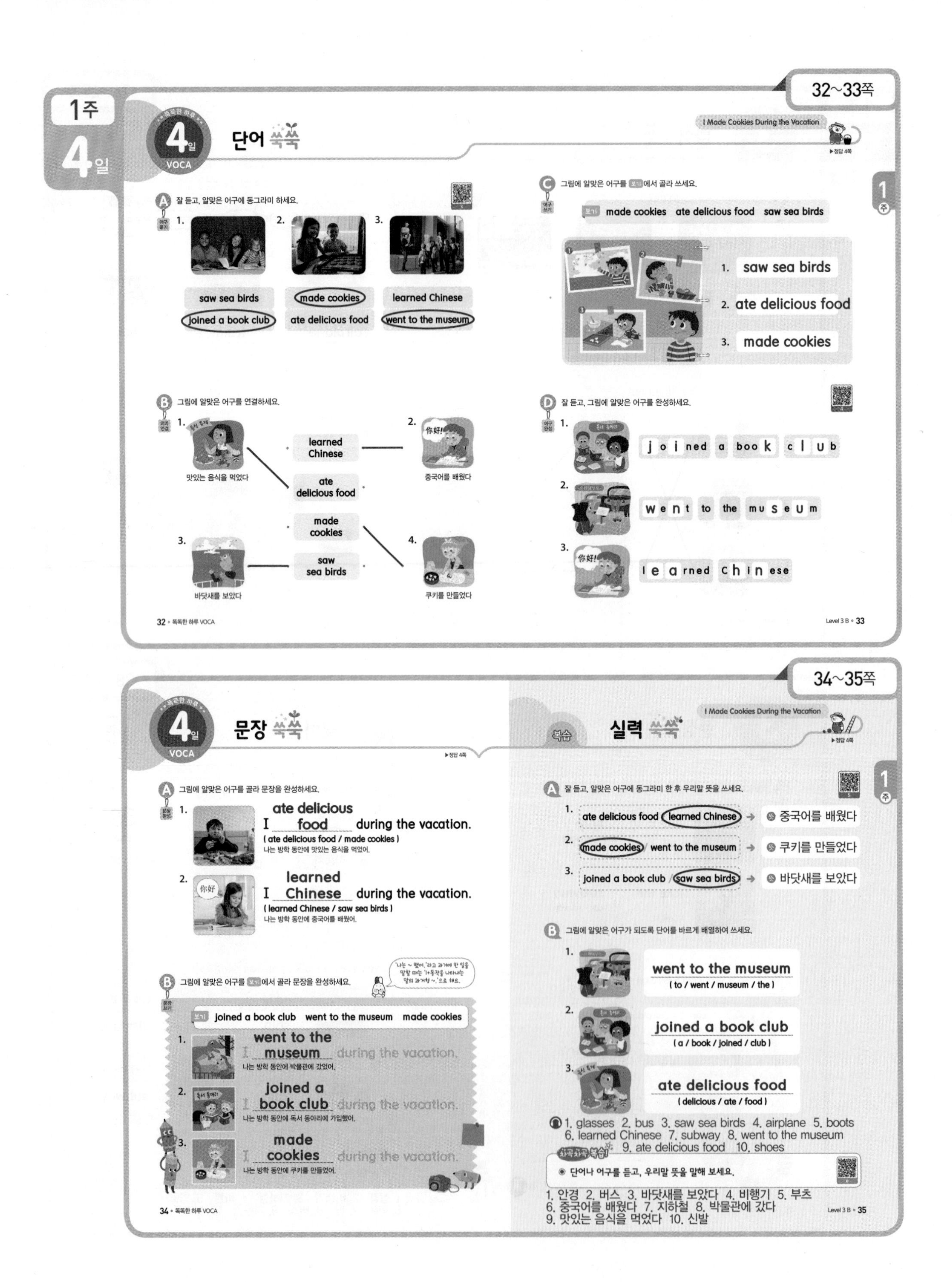

32~33쪽

1주 4일

4일 VOCA 단어 쑥쑥

I Made Cookies During the Vacation

▶정답 4쪽

A 잘 듣고, 알맞은 어구에 동그라미 하세요.

1. saw sea birds / (joined a book club)
2. (made cookies) / ate delicious food
3. learned Chinese / (went to the museum)

B 그림에 알맞은 어구를 연결하세요.

1. 맛있는 음식을 먹었다 — ate delicious food
2. 중국어를 배웠다 — learned Chinese
3. 바닷새를 보았다 — saw sea birds
4. 쿠키를 만들었다 — made cookies

C 그림에 알맞은 어구를 보기에서 골라 쓰세요.

보기 made cookies ate delicious food saw sea birds

1. saw sea birds
2. ate delicious food
3. made cookies

D 잘 듣고, 그림에 알맞은 어구를 완성하세요.

1. joined a book club
2. went to the museum
3. learned Chinese

32 • 똑똑한 하루 VOCA Level 3 B • 33

34~35쪽

4일 VOCA 문장 쑥쑥

▶정답 4쪽

A 그림에 알맞은 어구를 골라 문장을 완성하세요.

1. I ate delicious food during the vacation.
(ate delicious food / made cookies)
나는 방학 동안에 맛있는 음식을 먹었어.

2. I learned Chinese during the vacation.
(learned Chinese / saw sea birds)
나는 방학 동안에 중국어를 배웠어.

B 그림에 알맞은 어구를 보기에서 골라 문장을 완성하세요.

'나는 ~했어.'라고 과거에 한 일을 말할 때는 '~동작을 나타내는 말의 과거형 ~.'으로 써요.

보기 joined a book club went to the museum made cookies

1. I went to the museum during the vacation.
나는 방학 동안에 박물관에 갔었어.
2. I joined a book club during the vacation.
나는 방학 동안에 독서 동아리에 가입했어.
3. I made cookies during the vacation.
나는 방학 동안에 쿠키를 만들었어.

34 • 똑똑한 하루 VOCA

복습 실력 쑥쑥

I Made Cookies During the Vacation

▶정답 4쪽

A 잘 듣고, 알맞은 어구에 동그라미 한 후 우리말 뜻을 쓰세요.

1. ate delicious food / (learned Chinese) → 중국어를 배웠다
2. (made cookies) / went to the museum → 쿠키를 만들었다
3. joined a book club / (saw sea birds) → 바닷새를 보았다

B 그림에 알맞은 어구가 되도록 단어를 바르게 배열하여 쓰세요.

1. went to the museum (to / went / museum / the)
2. joined a book club (a / book / joined / club)
3. ate delicious food (delicious / ate / food)

1. glasses 2. bus 3. saw sea birds 4. airplane 5. boots 6. learned Chinese 7. subway 8. went to the museum 9. ate delicious food 10. shoes

차곡차곡 복습!

단어나 어구를 듣고, 우리말 뜻을 말해 보세요.

1. 안경 2. 버스 3. 바닷새를 보았다 4. 비행기 5. 부츠 6. 중국어를 배웠다 7. 지하철 8. 박물관에 갔다 9. 맛있는 음식을 먹었다 10. 신발

Level 3 B • 35

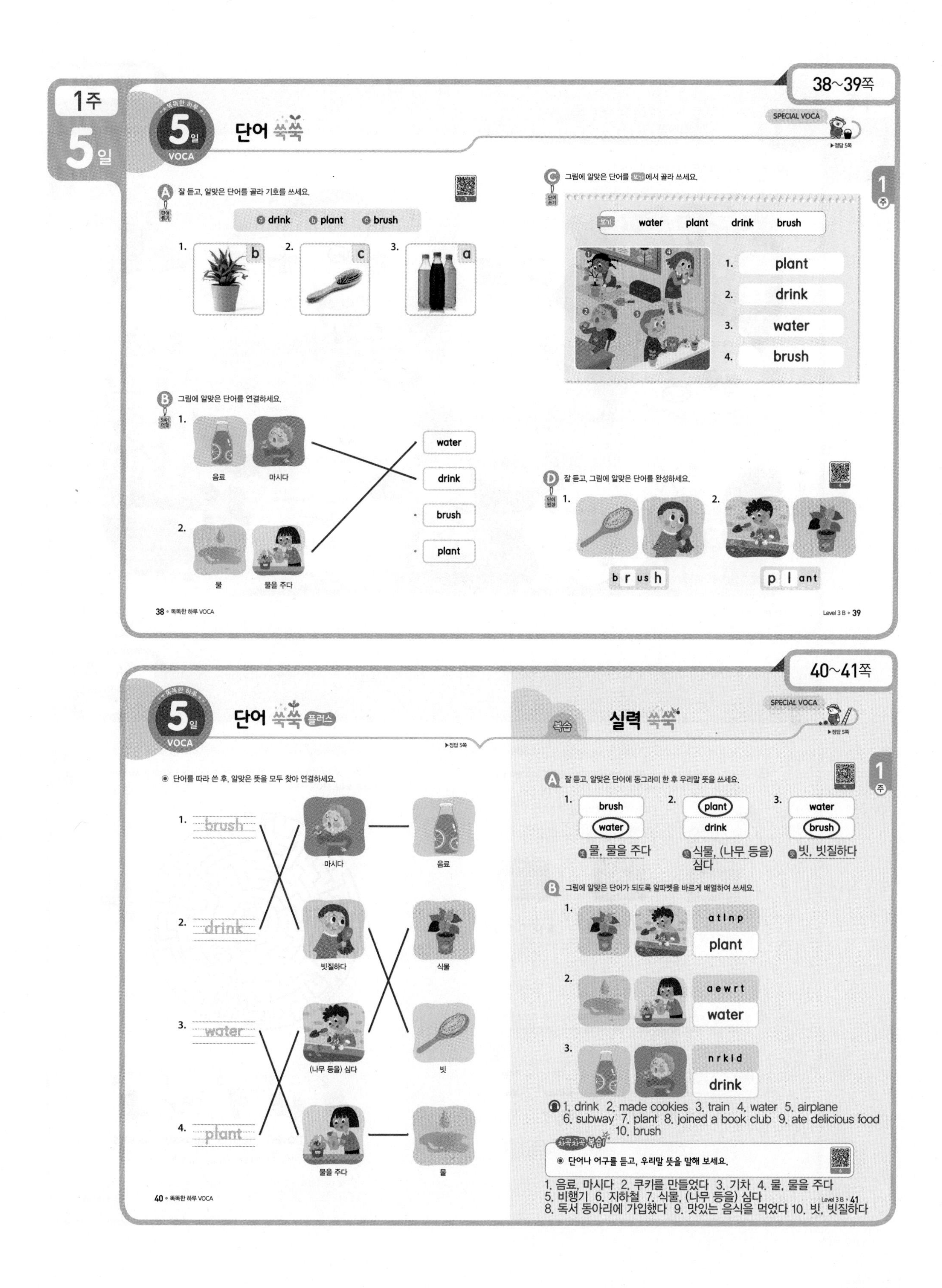

1주 5일

38~39쪽

5일 VOCA 단어 쑥쑥

SPECIAL VOCA ▶정답 5쪽

A 잘 듣고, 알맞은 단어를 골라 기호를 쓰세요.

ⓐ drink ⓑ plant ⓒ brush

1. b 2. c 3. a

B 그림에 알맞은 단어를 연결하세요.

1. 음료 마시다 — drink
2. 물 물을 주다 — water

water / drink / brush / plant

C 그림에 알맞은 단어를 보기에서 골라 쓰세요.

보기 water plant drink brush

1. plant
2. drink
3. water
4. brush

D 잘 듣고, 그림에 알맞은 단어를 완성하세요.

1. b r us h
2. p l ant

38 • 똑똑한 하루 VOCA

Level 3 B • 39

40~41쪽

5일 VOCA 단어 쑥쑥 플러스 ▶정답 5쪽

◉ 단어를 따라 쓴 후, 알맞은 뜻을 모두 찾아 연결하세요.

1. brush — 빗질하다, 빗
2. drink — 마시다, 음료
3. water — 물을 주다, 물
4. plant — (나무 등을) 심다, 식물

마시다 — 음료
빗질하다 — 식물
(나무 등을) 심다 — 빗
물을 주다 — 물

40 • 똑똑한 하루 VOCA

복습 실력 쑥쑥 SPECIAL VOCA ▶정답 5쪽

A 잘 듣고, 알맞은 단어에 동그라미 한 후 우리말 뜻을 쓰세요.

1. brush / (water) 예 물, 물을 주다
2. (plant) / drink 예 식물, (나무 등을) 심다
3. water / (brush) 예 빗, 빗질하다

B 그림에 알맞은 단어가 되도록 알파벳을 바르게 배열하여 쓰세요.

1. a t l n p — plant
2. a e w r t — water
3. n r k i d — drink

듣 1. drink 2. made cookies 3. train 4. water 5. airplane 6. subway 7. plant 8. joined a book club 9. ate delicious food 10. brush

차곡차곡 복습!

◉ 단어나 어구를 듣고, 우리말 뜻을 말해 보세요.

1. 음료, 마시다 2. 쿠키를 만들었다 3. 기차 4. 물, 물을 주다 5. 비행기 6. 지하철 7. 식물, (나무 등을) 심다 8. 독서 동아리에 가입했다 9. 맛있는 음식을 먹었다 10. 빗, 빗질하다

Level 3 B • 41

1주
특강

42~43쪽

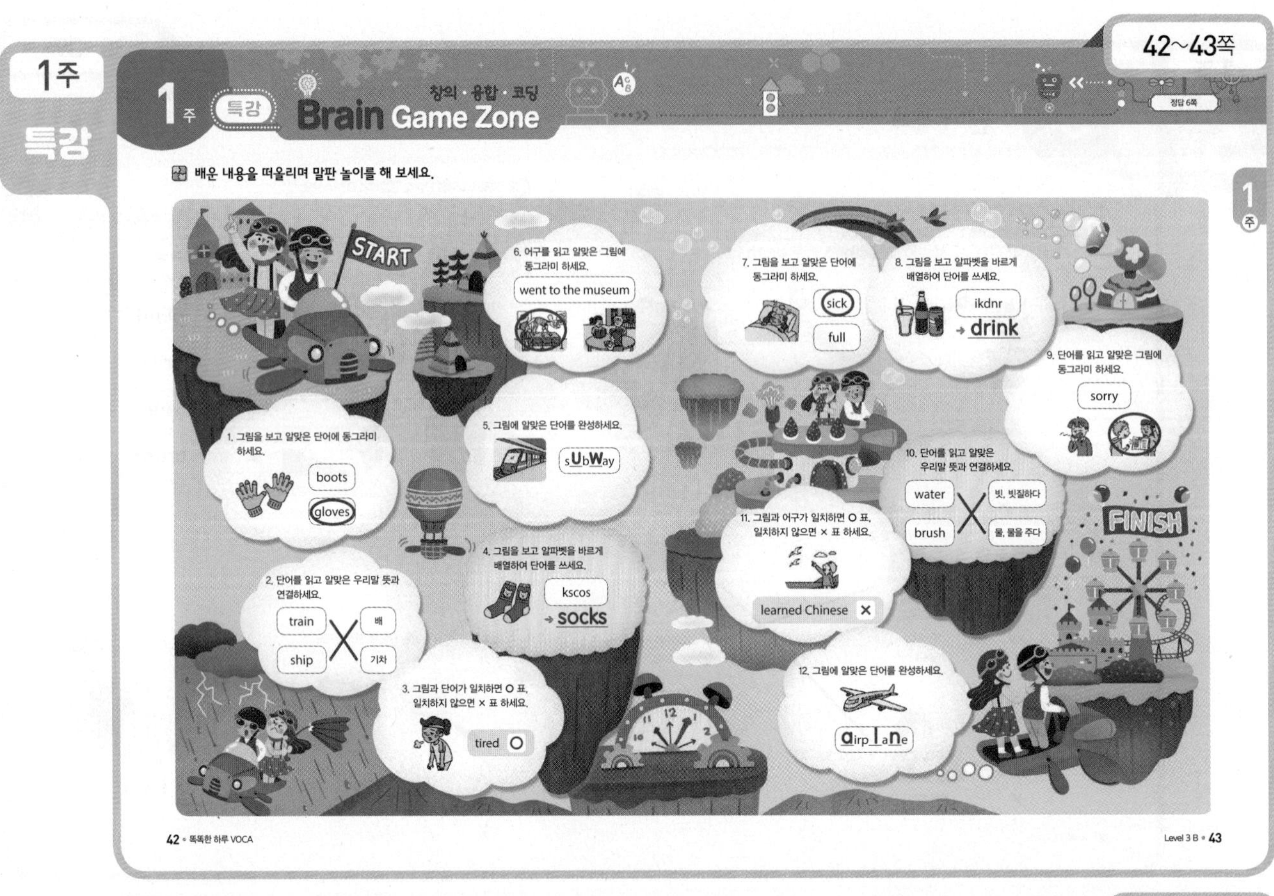

1주 특강 Brain Game Zone 창의 · 융합 · 코딩
배운 내용을 떠올리며 말판 놀이를 해 보세요.
START
1. 그림을 보고 알맞은 단어에 동그라미 하세요.
boots
gloves
2. 단어를 읽고 알맞은 우리말 뜻과 연결하세요.
train
ship
배
기차
3. 그림과 단어가 일치하면 ○ 표, 일치하지 않으면 × 표 하세요.
tired ○
4. 그림을 보고 알파벳을 바르게 배열하여 단어를 쓰세요.
kscos
→ socks
5. 그림에 알맞은 단어를 완성하세요.
sUbWay
6. 어구를 읽고 알맞은 그림에 동그라미 하세요.
went to the museum
7. 그림을 보고 알맞은 단어에 동그라미 하세요.
sick
full
8. 그림을 보고 알파벳을 바르게 배열하여 단어를 쓰세요.
ikdnr
→ drink
9. 단어를 읽고 알맞은 그림에 동그라미 하세요.
sorry
10. 단어를 읽고 알맞은 우리말 뜻과 연결하세요.
water
brush
빗, 빗질하다
물, 물을 주다
11. 그림과 어구가 일치하면 ○ 표, 일치하지 않으면 × 표 하세요.
learned Chinese ×
12. 그림에 알맞은 단어를 완성하세요.
airplane
FINISH
42 • 똑똑한 하루 VOCA
Level 3 B • 43

44~45쪽

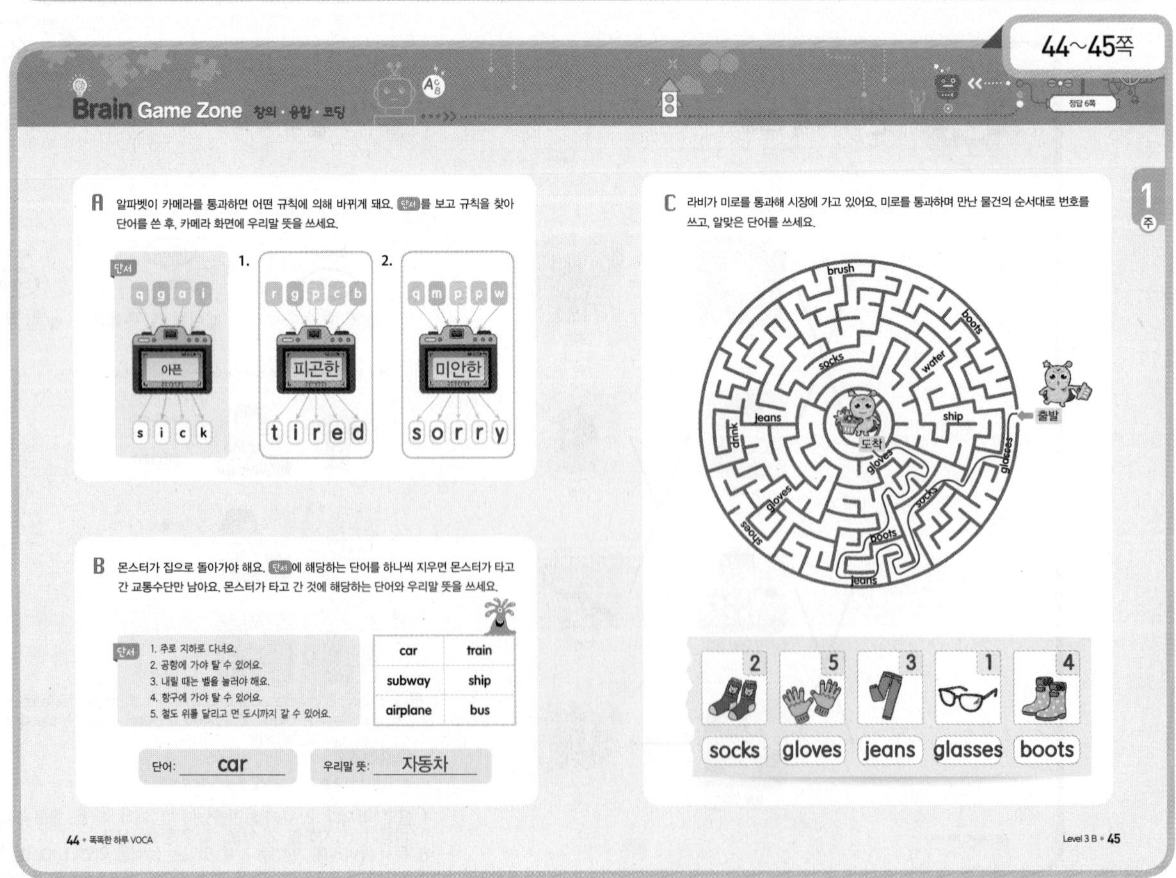

Brain Game Zone 창의 · 융합 · 코딩
A 알파벳이 카메라를 통과하면 어떤 규칙에 의해 바뀌게 돼요. 단서를 보고 규칙을 찾아 단어를 쓴 후, 카메라 화면에 우리말 뜻을 쓰세요.
단서
q g a i
아픈
s i c k
1.
r g p c b
피곤한
t i r e d
2.
q m p p w
미안한
s o r r y
B 몬스터가 집으로 돌아가야 해요. 단서에 해당하는 단어를 하나씩 지우면 몬스터가 타고 간 교통수단만 남아요. 몬스터가 타고 간 것에 해당하는 단어와 우리말 뜻을 쓰세요.
단서
1. 주로 지하로 다녀요.
2. 공항에 가야 탈 수 있어요.
3. 내릴 때는 벨을 눌러야 해요.
4. 항구에 가야 탈 수 있어요.
5. 철도 위를 달리고 먼 도시까지 갈 수 있어요.
car
train
subway
ship
airplane
bus
단어: car
우리말 뜻: 자동차
C 라비가 미로를 통과해 시장에 가고 있어요. 미로를 통과하며 만난 물건의 순서대로 번호를 쓰고, 알맞은 단어를 쓰세요.
brush
boots
socks
water
jeans
ship
drink
출발
도착
gloves
glasses
shoes
2 socks
5 gloves
3 jeans
1 glasses
4 boots
44 • 똑똑한 하루 VOCA
Level 3 B • 45

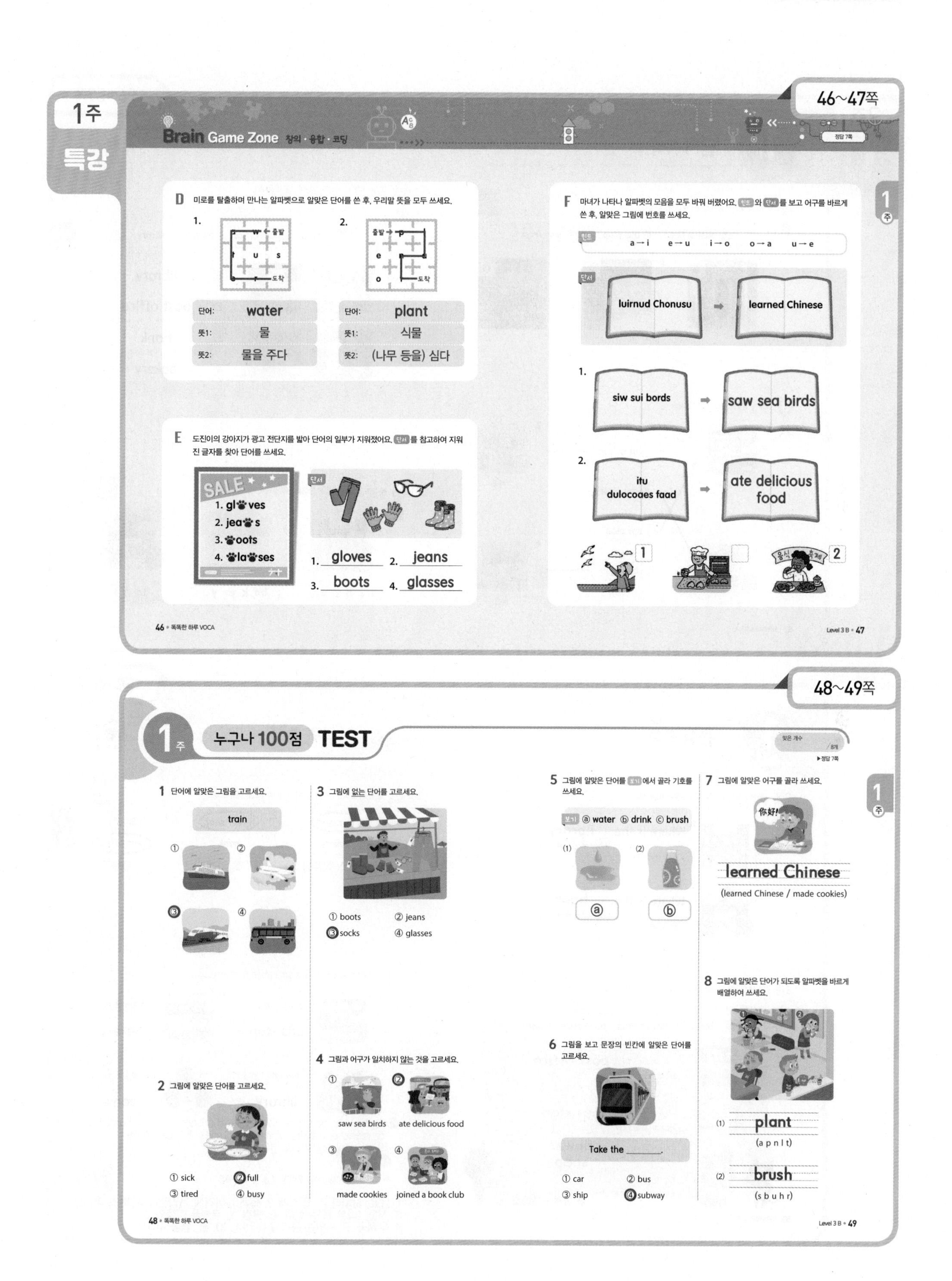

46~47쪽

1주 특강

Brain Game Zone 창의 · 융합 · 코딩

▶정답 7쪽

D 미로를 탈출하며 만나는 알파벳으로 알맞은 단어를 쓴 후, 우리말 뜻을 모두 쓰세요.

1.

단어:	water
뜻1:	물
뜻2:	물을 주다

2.

단어:	plant
뜻1:	식물
뜻2:	(나무 등을) 심다

E 도진이의 강아지가 광고 전단지를 밟아 단어의 일부가 지워졌어요. 단서를 참고하여 지워진 글자를 찾아 단어를 쓰세요.

SALE
1. gl ves
2. jea s
3. oots
4. la ses

1. gloves 2. jeans
3. boots 4. glasses

F 마녀가 나타나 알파벳의 모음을 모두 바꿔 버렸어요. 힌트와 단서를 보고 어구를 바르게 쓴 후, 알맞은 그림에 번호를 쓰세요.

힌트: a → i e → u i → o o → a u → e

단서: luirnud Chonusu ➡ learned Chinese

1. siw sui bords ➡ saw sea birds

2. itu dulocoaes faad ➡ ate delicious food

그림 번호: 1, (빈칸), 2

46 • 똑똑한 하루 VOCA

Level 3 B • 47

48~49쪽

1주 누구나 100점 TEST

맞은 개수 /8개

▶정답 7쪽

1 단어에 알맞은 그림을 고르세요.

train

① ② ③ ④ — 정답: ③

2 그림에 알맞은 단어를 고르세요.

① sick ② full ③ tired ④ busy — 정답: ②

3 그림에 없는 단어를 고르세요.

① boots ② jeans ③ socks ④ glasses — 정답: ③

4 그림과 어구가 일치하지 않는 것을 고르세요.

① saw sea birds ② ate delicious food ③ made cookies ④ joined a book club — 정답: ②

5 그림에 알맞은 단어를 보기에서 골라 기호를 쓰세요.

보기: ⓐ water ⓑ drink ⓒ brush

(1) ⓐ (2) ⓑ

6 그림을 보고 문장의 빈칸에 알맞은 단어를 고르세요.

Take the ______.

① car ② bus ③ ship ④ subway — 정답: ④

7 그림에 알맞은 어구를 골라 쓰세요.

learned Chinese

(learned Chinese / made cookies)

8 그림에 알맞은 단어가 되도록 알파벳을 바르게 배열하여 쓰세요.

(1) plant (a p n l t)

(2) brush (s b u h r)

48 • 똑똑한 하루 VOCA

Level 3 B • 49

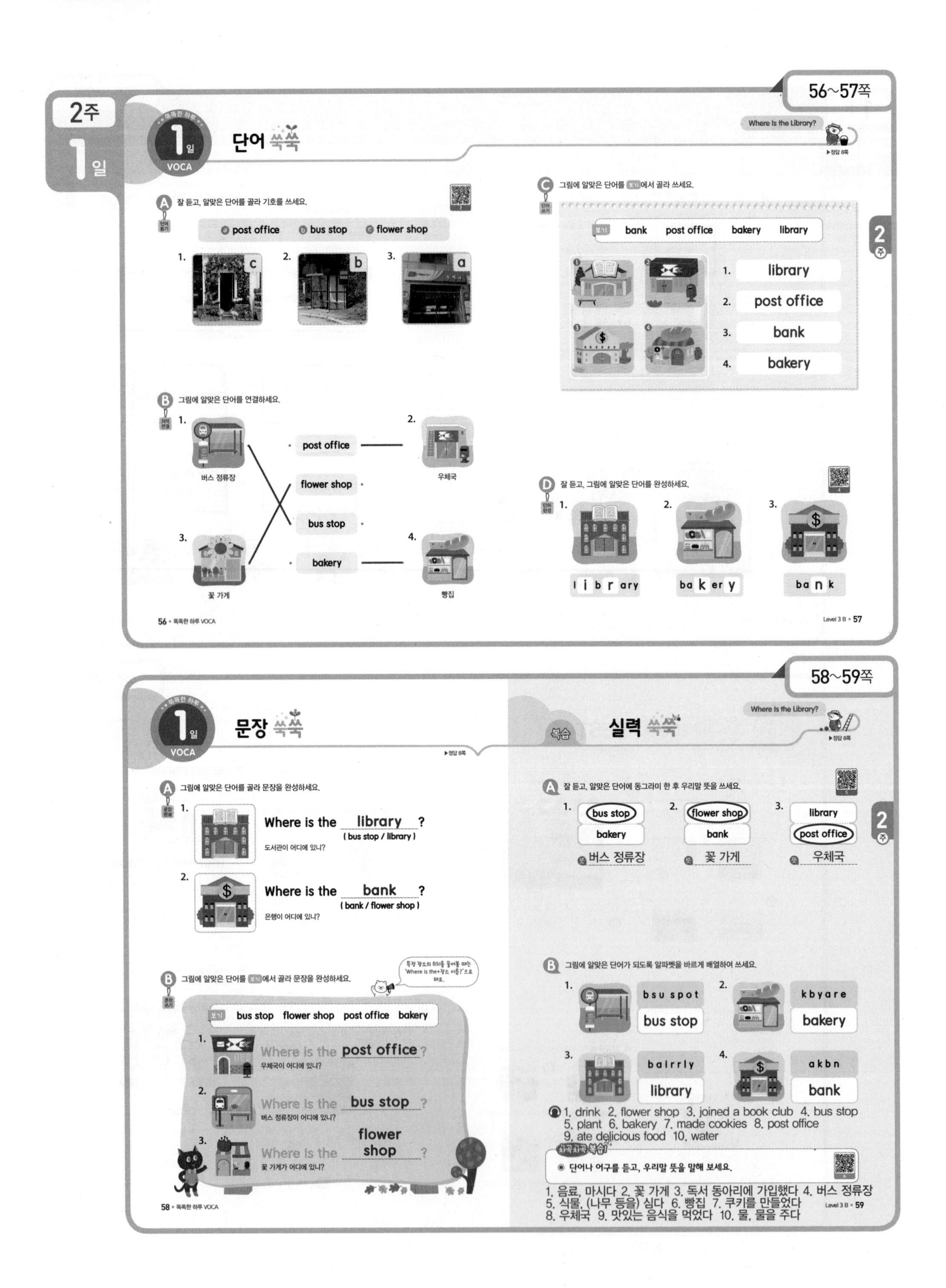
56~57쪽
2주 1일
1일 VOCA 단어 쑥쑥
A 잘 듣고, 알맞은 단어를 골라 기호를 쓰세요.
ⓐ post office ⓑ bus stop ⓒ flower shop
1. c 2. b 3. a
B 그림에 알맞은 단어를 연결하세요.
버스 정류장 우체국 꽃 가게 빵집
post office flower shop bus stop bakery
C 그림에 알맞은 단어를 보기에서 골라 쓰세요.
보기 bank post office bakery library
1. library 2. post office 3. bank 4. bakery
D 잘 듣고, 그림에 알맞은 단어를 완성하세요.
1. library 2. bakery 3. bank
58~59쪽
1일 VOCA 문장 쑥쑥
A 그림에 알맞은 단어를 골라 문장을 완성하세요.
1. Where is the library ? (bus stop / library) 도서관이 어디에 있니?
2. Where is the bank ? (bank / flower shop) 은행이 어디에 있니?
B 그림에 알맞은 단어를 보기에서 골라 문장을 완성하세요.
보기 bus stop flower shop post office bakery
1. Where is the post office? 우체국이 어디에 있니?
2. Where is the bus stop ? 버스 정류장이 어디에 있니?
3. Where is the flower shop ? 꽃 가게가 어디에 있니?
복습 실력 쑥쑥
A 잘 듣고, 알맞은 단어에 동그라미 한 후 우리말 뜻을 쓰세요.
1. bus stop / bakery 버스 정류장 2. flower shop / bank 꽃 가게 3. library / post office 우체국
B 그림에 알맞은 단어가 되도록 알파벳을 바르게 배열하여 쓰세요.
1. bsu spot bus stop 2. kbyare bakery 3. bairrly library 4. akbn bank
1. drink 2. flower shop 3. joined a book club 4. bus stop 5. plant 6. bakery 7. made cookies 8. post office 9. ate delicious food 10. water
차곡차곡 복습
단어나 어구를 듣고, 우리말 뜻을 말해 보세요.
1. 음료, 마시다 2. 꽃 가게 3. 독서 동아리에 가입했다 4. 버스 정류장 5. 식물, (나무 등을) 심다 6. 빵집 7. 쿠키를 만들었다 8. 우체국 9. 맛있는 음식을 먹었다 10. 물, 물을 주다

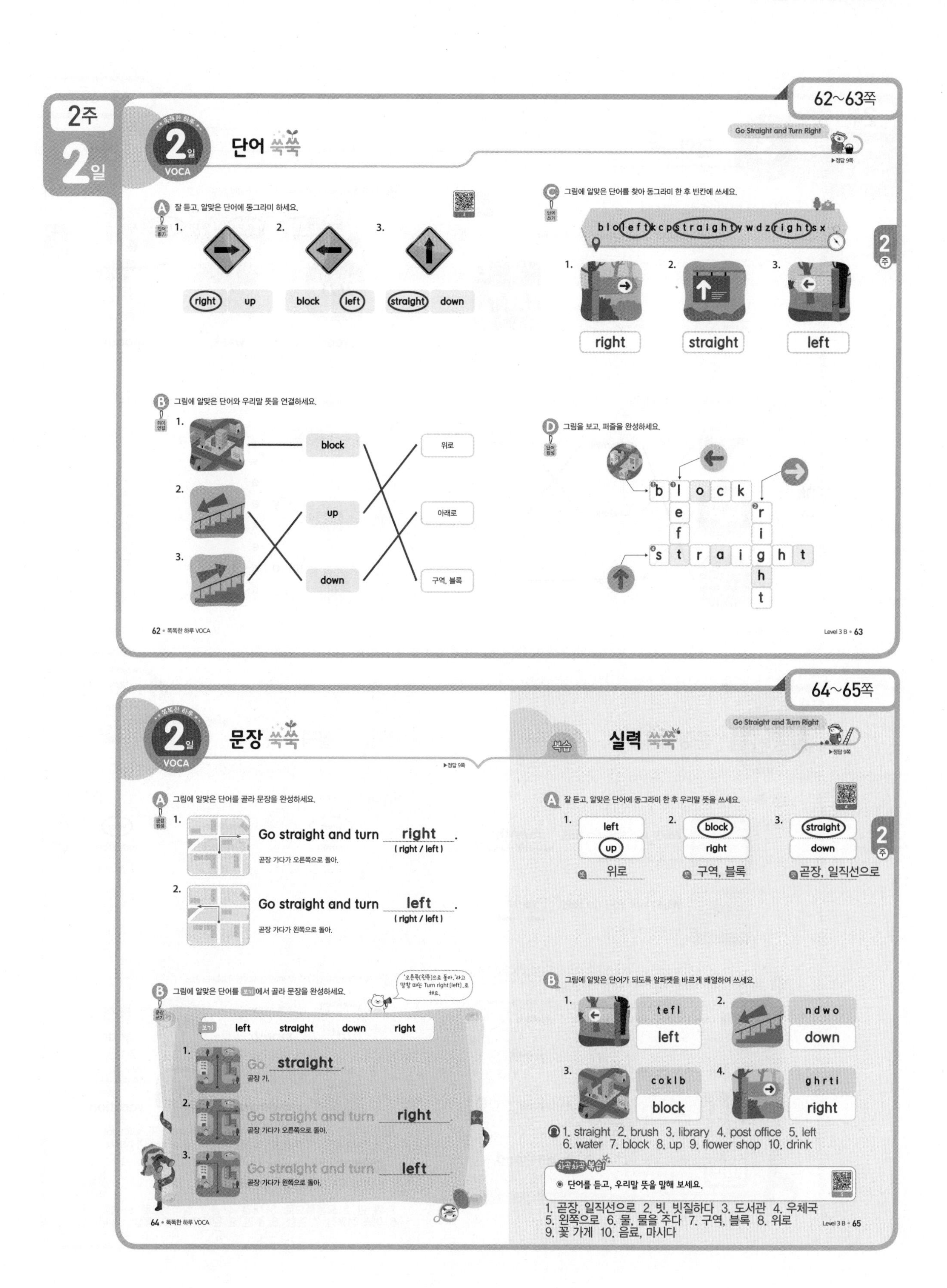
62~63쪽
2주
2일
똑똑한 하루
2일
VOCA
단어 쑥쑥
Go Straight and Turn Right
▶정답 9쪽
A 잘 듣고, 알맞은 단어에 동그라미 하세요.
1. right up
2. block left
3. straight down
B 그림에 알맞은 단어와 우리말 뜻을 연결하세요.
1. 2. 3.
block
up
down
위로
아래로
구역, 블록
C 그림에 알맞은 단어를 찾아 동그라미 한 후 빈칸에 쓰세요.
b l o l e f t k c p s t r a i g h t y w d z r i g h t s x
1. right
2. straight
3. left
D 그림을 보고, 퍼즐을 완성하세요.
b l o c k
l e f t
r i g h t
s t r a i g h t
62 • 똑똑한 하루 VOCA
Level 3 B • 63
64~65쪽
2일
VOCA
문장 쑥쑥
▶정답 9쪽
A 그림에 알맞은 단어를 골라 문장을 완성하세요.
1. Go straight and turn right.
(right / left)
곧장 가다가 오른쪽으로 돌아.
2. Go straight and turn left.
(right / left)
곧장 가다가 왼쪽으로 돌아.
B 그림에 알맞은 단어를 보기에서 골라 문장을 완성하세요.
'오른쪽(왼쪽)으로 돌아.'라고 말할 때는 Turn right(left).로 해요.
보기 left straight down right
1. Go straight.
곧장 가.
2. Go straight and turn right.
곧장 가다가 오른쪽으로 돌아.
3. Go straight and turn left.
곧장 가다가 왼쪽으로 돌아.
64 • 똑똑한 하루 VOCA
복습
실력 쑥쑥
Go Straight and Turn Right
▶정답 9쪽
A 잘 듣고, 알맞은 단어에 동그라미 한 후 우리말 뜻을 쓰세요.
1. left up 뜻 위로
2. block right 뜻 구역, 블록
3. straight down 뜻 곧장, 일직선으로
B 그림에 알맞은 단어가 되도록 알파벳을 바르게 배열하여 쓰세요.
1. t e f l left
2. n d w o down
3. c o k l b block
4. g h r t i right
1. straight 2. brush 3. library 4. post office 5. left
6. water 7. block 8. up 9. flower shop 10. drink
차곡차곡 복습!
단어를 듣고, 우리말 뜻을 말해 보세요.
1. 곧장, 일직선으로 2. 빗, 빗질하다 3. 도서관 4. 우체국
5. 왼쪽으로 6. 물, 물을 주다 7. 구역, 블록 8. 위로
9. 꽃 가게 10. 음료, 마시다
Level 3 B • 65

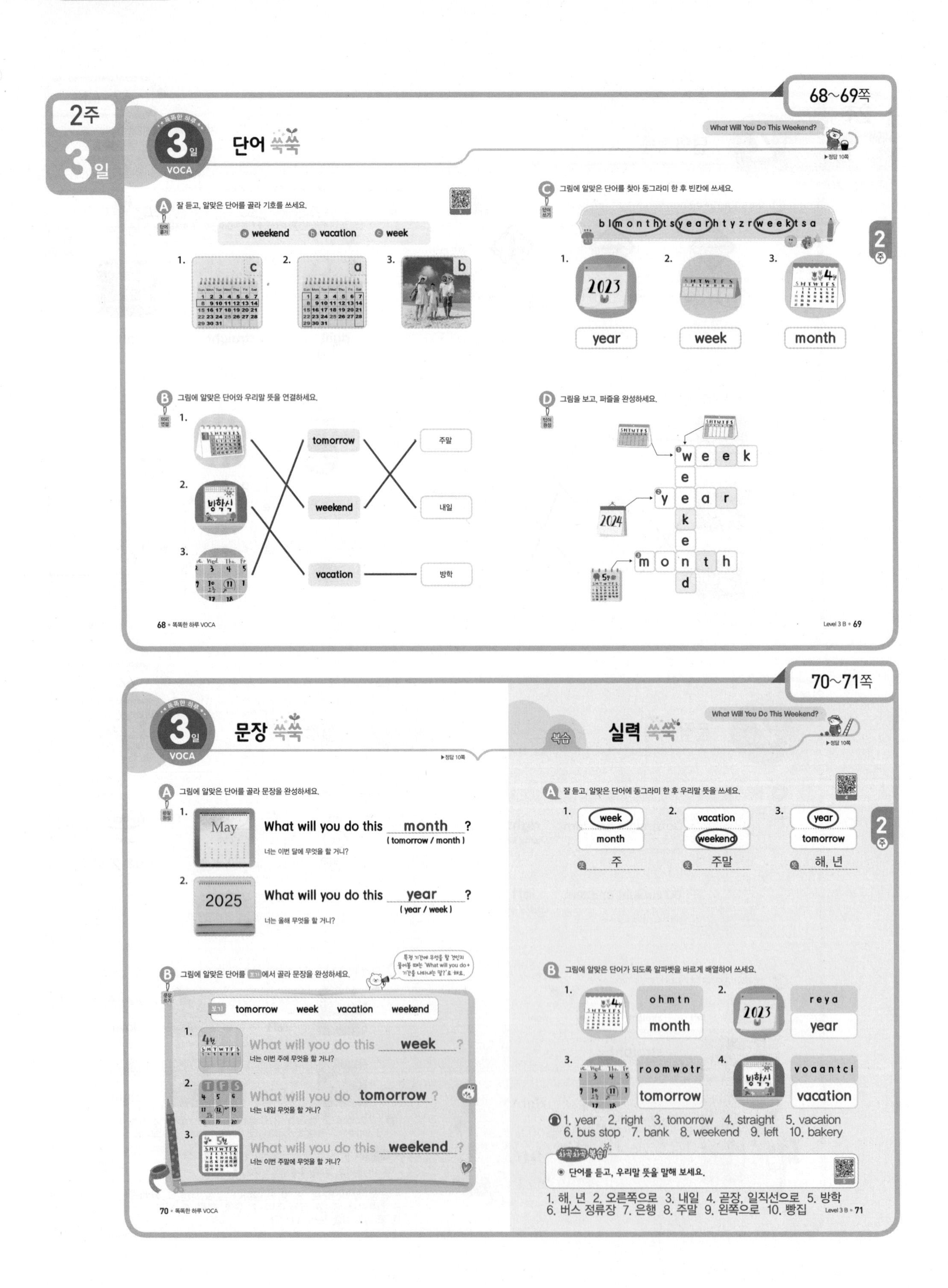

2주 3일

68~69쪽

3일 VOCA 단어 쑥쑥

What Will You Do This Weekend?

▶정답 10쪽

A 잘 듣고, 알맞은 단어를 골라 기호를 쓰세요.

ⓐ weekend ⓑ vacation ⓒ week

1. c 2. a 3. b

B 그림에 알맞은 단어와 우리말 뜻을 연결하세요.

1. – weekend – 주말
2. – vacation – 방학
3. – tomorrow – 내일

C 그림에 알맞은 단어를 찾아 동그라미 한 후 빈칸에 쓰세요.

b l (m o n t h) t s (y e a r) h t y z r (w e e k) t s a

1. year 2. week 3. month

D 그림을 보고, 퍼즐을 완성하세요.

❶ week ❷ year ❸ month (세로: weekend)

68 • 똑똑한 하루 VOCA　　　Level 3 B • 69

70~71쪽

3일 VOCA 문장 쑥쑥

▶정답 10쪽

A 그림에 알맞은 단어를 골라 문장을 완성하세요.

1. What will you do this month ? (tomorrow / month)
너는 이번 달에 무엇을 할 거니?
2. What will you do this year ? (year / week)
너는 올해 무엇을 할 거니?

B 그림에 알맞은 단어를 보기에서 골라 문장을 완성하세요.

특정 기간에 무엇을 할 것인지 물어볼 때는 'What will you do + 기간을 나타내는 말?'로 해요.

보기 tomorrow week vacation weekend

1. What will you do this week ?
너는 이번 주에 무엇을 할 거니?
2. What will you do tomorrow ?
너는 내일 무엇을 할 거니?
3. What will you do this weekend ?
너는 이번 주말에 무엇을 할 거니?

70 • 똑똑한 하루 VOCA

복습 실력 쑥쑥

What Will You Do This Weekend?

▶정답 10쪽

A 잘 듣고, 알맞은 단어에 동그라미 한 후 우리말 뜻을 쓰세요.

1. (week) / month 뜻 주
2. vacation / (weekend) 뜻 주말
3. (year) / tomorrow 뜻 해, 년

B 그림에 알맞은 단어가 되도록 알파벳을 바르게 배열하여 쓰세요.

1. o h m t n → month
2. r e y a → year
3. r o o m w o t r → tomorrow
4. v o a a n t c i → vacation

1. year 2. right 3. tomorrow 4. straight 5. vacation
6. bus stop 7. bank 8. weekend 9. left 10. bakery

차곡차곡 복습!

◉ 단어를 듣고, 우리말 뜻을 말해 보세요.

1. 해, 년 2. 오른쪽으로 3. 내일 4. 곧장, 일직선으로 5. 방학
6. 버스 정류장 7. 은행 8. 주말 9. 왼쪽으로 10. 빵집

Level 3 B • 71

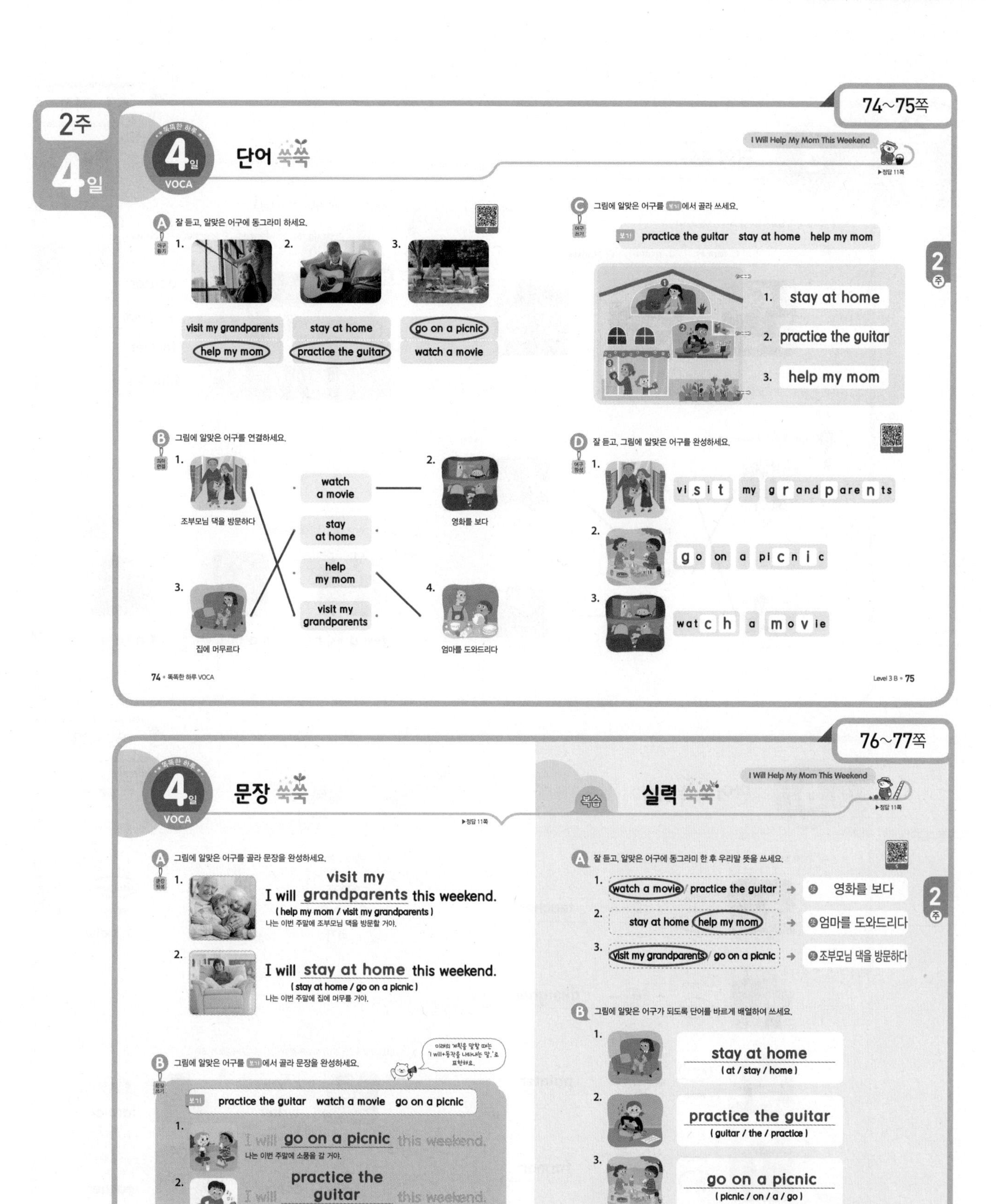

2주 4일

74~75쪽

똑똑한 하루 4일 VOCA 단어 쑥쑥

I Will Help My Mom This Weekend

▶정답 11쪽

A 잘 듣고, 알맞은 어구에 동그라미 하세요.

1. visit my grandparents / (help my mom)
2. stay at home / (practice the guitar)
3. (go on a picnic) / watch a movie

B 그림에 알맞은 어구를 연결하세요.

1. 조부모님 댁을 방문하다 — visit my grandparents
2. 영화를 보다 — watch a movie
3. 집에 머무르다 — stay at home
4. 엄마를 도와드리다 — help my mom

C 그림에 알맞은 어구를 보기에서 골라 쓰세요.

보기 practice the guitar stay at home help my mom

1. stay at home
2. practice the guitar
3. help my mom

D 잘 듣고, 그림에 알맞은 어구를 완성하세요.

1. visit my grandparents
2. go on a picnic
3. watch a movie

74 • 똑똑한 하루 VOCA

Level 3 B • 75

76~77쪽

똑똑한 하루 4일 VOCA 문장 쑥쑥

▶정답 11쪽

A 그림에 알맞은 어구를 골라 문장을 완성하세요.

1. I will visit my grandparents this weekend.
(help my mom / visit my grandparents)
나는 이번 주말에 조부모님 댁을 방문할 거야.

2. I will stay at home this weekend.
(stay at home / go on a picnic)
나는 이번 주말에 집에 머무를 거야.

B 그림에 알맞은 어구를 보기에서 골라 문장을 완성하세요.

미래의 계획을 말할 때는 'I will+동작을 나타내는 말.'로 표현해요.

보기 practice the guitar watch a movie go on a picnic

1. I will go on a picnic this weekend.
나는 이번 주말에 소풍을 갈 거야.

2. I will practice the guitar this weekend.
나는 이번 주말에 기타를 연습할 거야.

3. I will watch a movie this weekend.
나는 이번 주말에 영화를 볼 거야.

76 • 똑똑한 하루 VOCA

I Will Help My Mom This Weekend

복습 실력 쑥쑥

▶정답 11쪽

A 잘 듣고, 알맞은 어구에 동그라미 한 후 우리말 뜻을 쓰세요.

1. (watch a movie) practice the guitar → 영화를 보다
2. stay at home (help my mom) → 엄마를 도와드리다
3. (visit my grandparents) go on a picnic → 조부모님 댁을 방문하다

B 그림에 알맞은 어구가 되도록 단어를 바르게 배열하여 쓰세요.

1. stay at home (at / stay / home)
2. practice the guitar (guitar / the / practice)
3. go on a picnic (picnic / on / a / go)

1. block 2. month 3. go on a picnic 4. vacation 5. stay at home 6. straight 7. tomorrow 8. watch a movie 9. down 10. help my mom

차곡차곡 복습

단어나 어구를 듣고, 우리말 뜻을 말해 보세요.

1. 구역, 블록 2. 달 3. 소풍을 가다 4. 방학 5. 집에 머무르다 6. 곧장, 일직선으로 7. 내일 8. 영화를 보다 9. 아래로 10. 엄마를 도와드리다

Level 3 B • 77

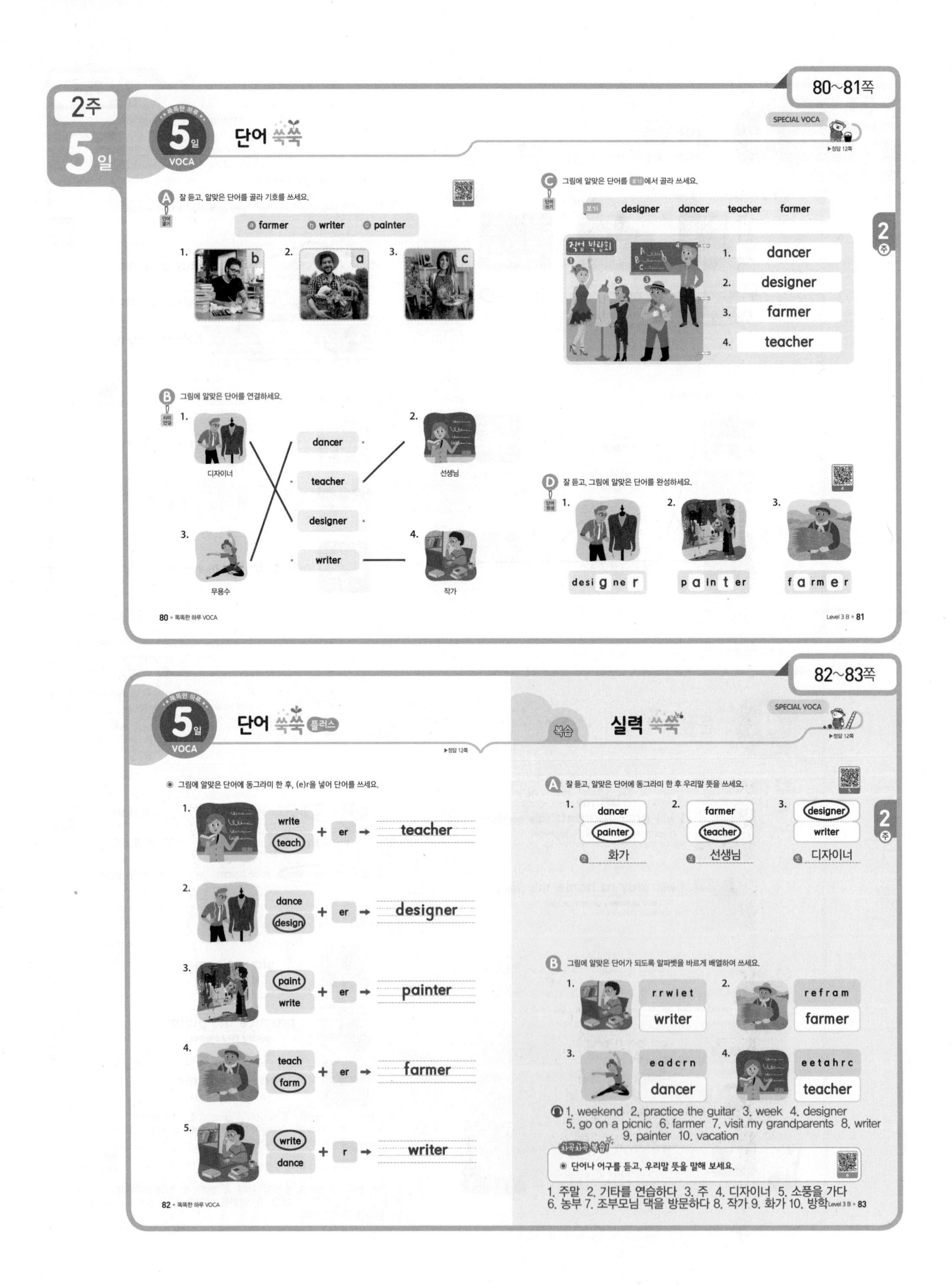

80~81쪽

2주 5일

5일 VOCA 단어 쑥쑥

SPECIAL VOCA ▶정답 12쪽

A 잘 듣고, 알맞은 단어를 골라 기호를 쓰세요.

ⓐ farmer ⓑ writer ⓒ painter

1. b 2. a 3. c

B 그림에 알맞은 단어를 연결하세요.

1. 디자이너 — designer
2. 선생님 — teacher
3. 무용수 — dancer
4. 작가 — writer

C 그림에 알맞은 단어를 보기에서 골라 쓰세요.

보기 designer dancer teacher farmer

직업 박람회

1. dancer
2. designer
3. farmer
4. teacher

D 잘 듣고, 그림에 알맞은 단어를 완성하세요.

1. desi g ne r 2. p a in t er 3. f a rm e r

80 • 똑똑한 하루 VOCA Level 3 B • 81

82~83쪽

5일 VOCA 단어 쑥쑥 플러스 ▶정답 12쪽

◉ 그림에 알맞은 단어에 동그라미 한 후, (e)r을 넣어 단어를 쓰세요.

1. write / (teach) + er → teacher
2. dance / (design) + er → designer
3. (paint) / write + er → painter
4. teach / (farm) + er → farmer
5. (write) / dance + r → writer

복습 실력 쑥쑥 SPECIAL VOCA ▶정답 12쪽

A 잘 듣고, 알맞은 단어에 동그라미 한 후 우리말 뜻을 쓰세요.

1. dancer / (painter) 뜻 화가
2. farmer / (teacher) 뜻 선생님
3. (designer) / writer 뜻 디자이너

B 그림에 알맞은 단어가 되도록 알파벳을 바르게 배열하여 쓰세요.

1. r r w i e t → writer
2. r e f r a m → farmer
3. e a d c r n → dancer
4. e e t a h r c → teacher

ⓐ 1. weekend 2. practice the guitar 3. week 4. designer 5. go on a picnic 6. farmer 7. visit my grandparents 8. writer 9. painter 10. vacation

차곡차곡 복습

◉ 단어나 어구를 듣고, 우리말 뜻을 말해 보세요.

1. 주말 2. 기타를 연습하다 3. 주 4. 디자이너 5. 소풍을 가다 6. 농부 7. 조부모님 댁을 방문하다 8. 작가 9. 화가 10. 방학

82 • 똑똑한 하루 VOCA Level 3 B • 83

2주 특강

84~85쪽

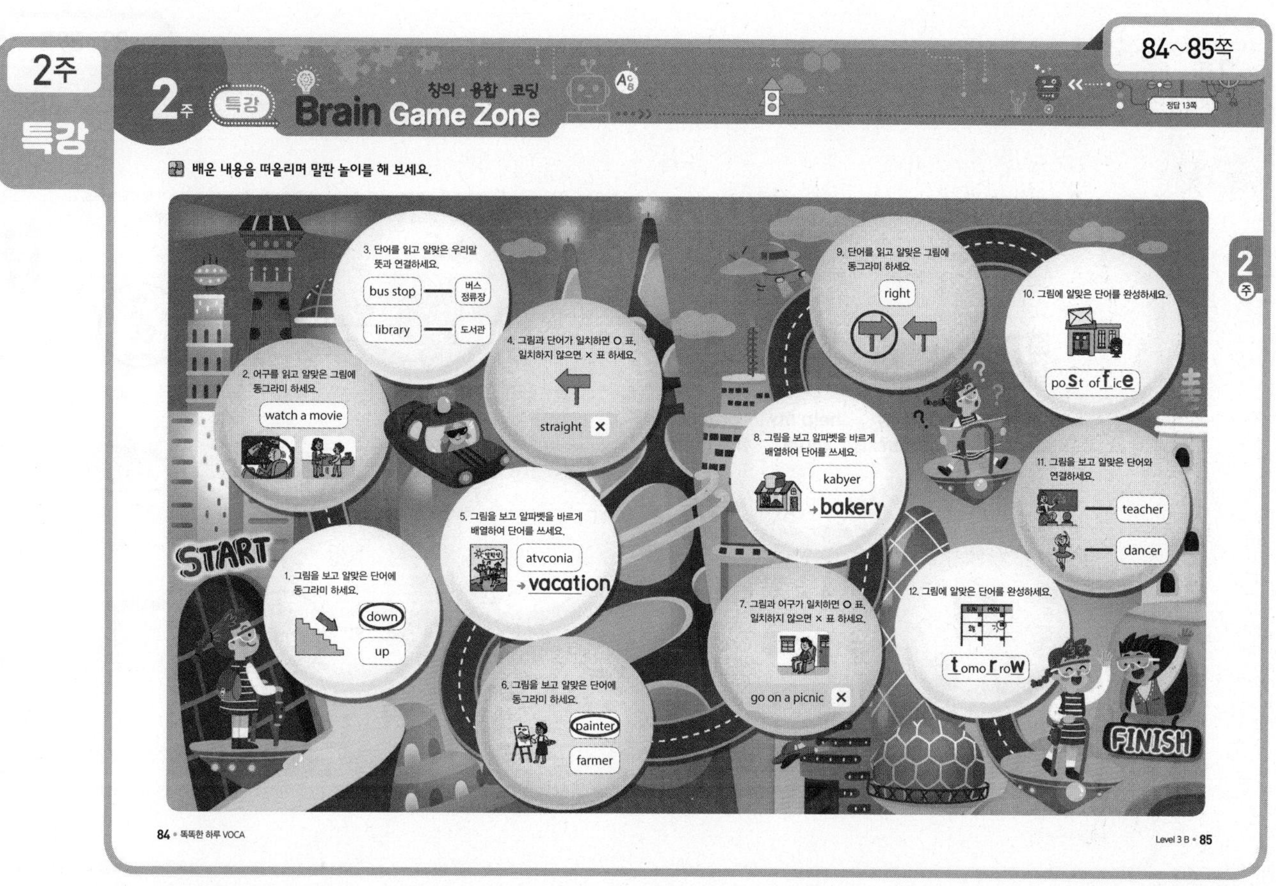

2주 특강 Brain Game Zone 창의 · 융합 · 코딩
정답 13쪽
배운 내용을 떠올리며 말판 놀이를 해 보세요.
START
1. 그림을 보고 알맞은 단어에 동그라미 하세요.
down
up
2. 어구를 읽고 알맞은 그림에 동그라미 하세요.
watch a movie
3. 단어를 읽고 알맞은 우리말 뜻과 연결하세요.
bus stop
버스 정류장
library
도서관
4. 그림과 단어가 일치하면 O 표, 일치하지 않으면 × 표 하세요.
straight ×
5. 그림을 보고 알파벳을 바르게 배열하여 단어를 쓰세요.
atvconia
→ vacation
6. 그림을 보고 알맞은 단어에 동그라미 하세요.
painter
farmer
7. 그림과 어구가 일치하면 O 표, 일치하지 않으면 × 표 하세요.
go on a picnic ×
8. 그림을 보고 알파벳을 바르게 배열하여 단어를 쓰세요.
kabyer
→ bakery
9. 단어를 읽고 알맞은 그림에 동그라미 하세요.
right
10. 그림에 알맞은 단어를 완성하세요.
post office
11. 그림을 보고 알맞은 단어와 연결하세요.
teacher
dancer
12. 그림에 알맞은 단어를 완성하세요.
tomorrow
FINISH
84 • 똑똑한 하루 VOCA
Level 3 B • 85

86~87쪽

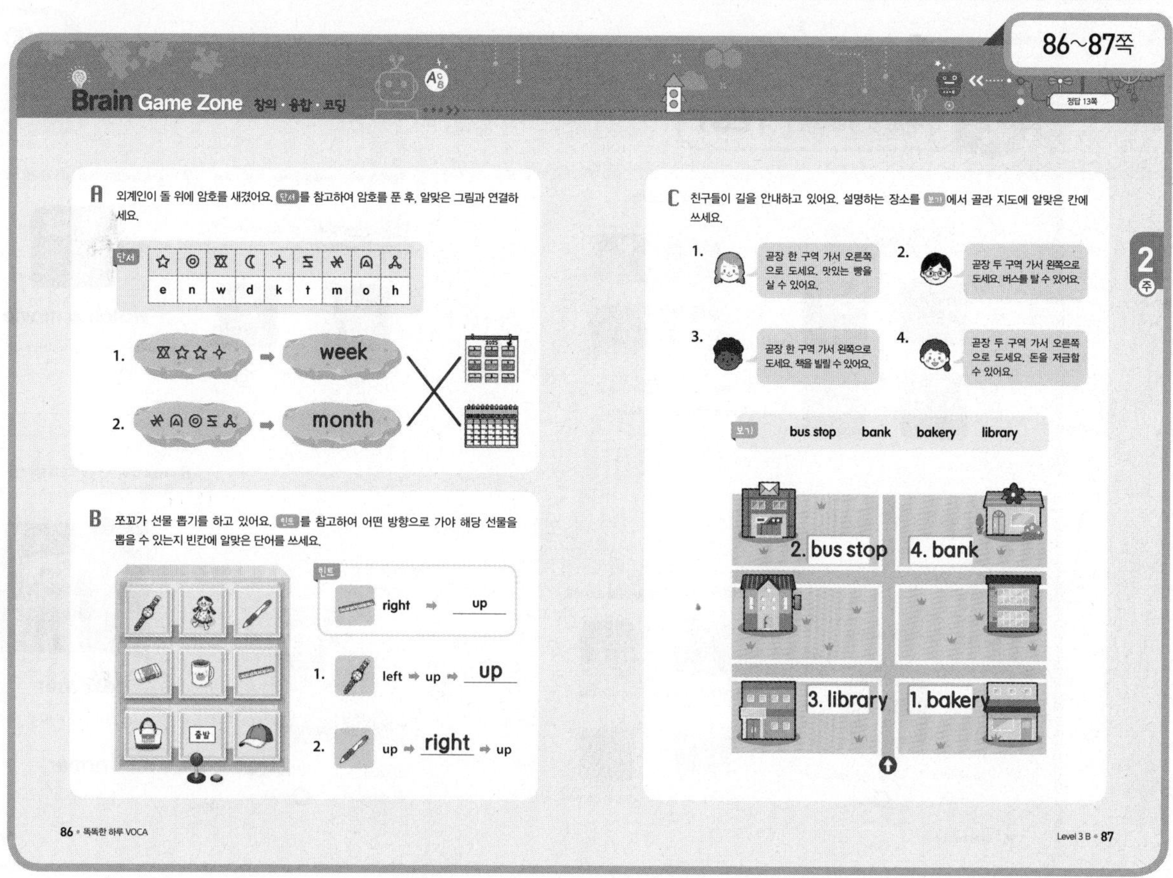

Brain Game Zone 창의 · 융합 · 코딩
정답 13쪽
A 외계인이 돌 위에 암호를 새겼어요. 단서를 참고하여 암호를 푼 후, 알맞은 그림과 연결하세요.
단서
e n w d k t m o h
1. week
2. month
B 쪼꼬가 선물 뽑기를 하고 있어요. 힌트를 참고하여 어떤 방향으로 가야 해당 선물을 뽑을 수 있는지 빈칸에 알맞은 단어를 쓰세요.
힌트
right → up
1. left → up → up
2. up → right → up
출발
C 친구들이 길을 안내하고 있어요. 설명하는 장소를 보기에서 골라 지도에 알맞은 칸에 쓰세요.
1. 곧장 한 구역 가서 오른쪽으로 도세요. 맛있는 빵을 살 수 있어요.
2. 곧장 두 구역 가서 왼쪽으로 도세요. 버스를 탈 수 있어요.
3. 곧장 한 구역 가서 왼쪽으로 도세요. 책을 빌릴 수 있어요.
4. 곧장 두 구역 가서 오른쪽으로 도세요. 돈을 저금할 수 있어요.
보기 bus stop bank bakery library
2. bus stop
4. bank
3. library
1. bakery
86 • 똑똑한 하루 VOCA
Level 3 B • 87

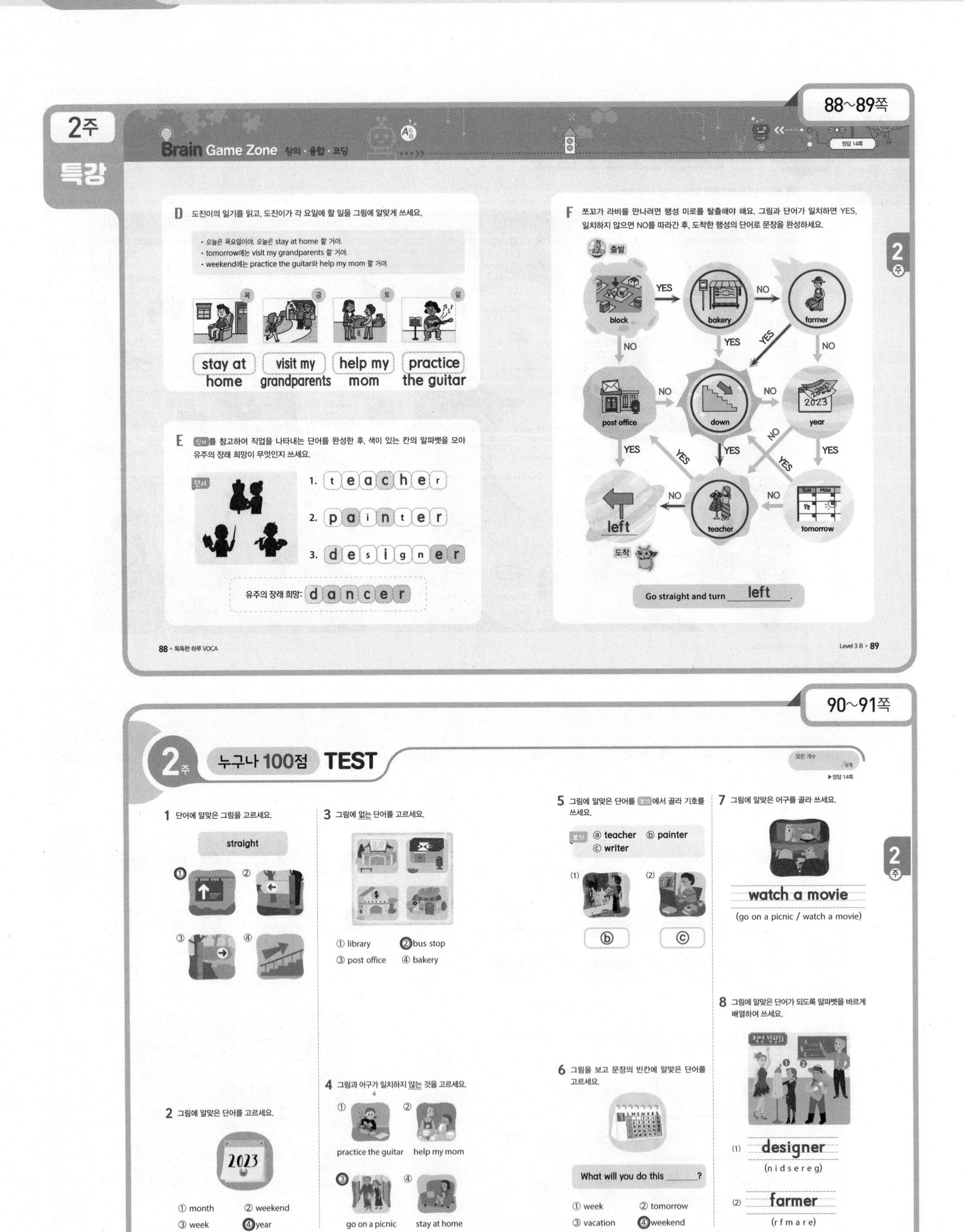
88~89쪽
2주
특강
Brain Game Zone 창의 · 융합 · 코딩
D 도진이의 일기를 읽고, 도진이가 각 요일에 할 일을 그림에 알맞게 쓰세요.
stay at home
visit my grandparents
help my mom
practice the guitar
E 단서를 참고하여 직업을 나타내는 단어를 완성한 후, 색이 있는 칸의 알파벳을 모아 유주의 장래 희망이 무엇인지 쓰세요.
1. teacher
2. painter
3. designer
유주의 장래 희망: dancer
F 쪼꼬가 라비를 만나려면 행성 미로를 탈출해야 해요. 그림과 단어가 일치하면 YES, 일치하지 않으면 NO를 따라간 후, 도착한 행성의 단어로 문장을 완성하세요.
Go straight and turn left.
90~91쪽
2주 누구나 100점 TEST
1 단어에 알맞은 그림을 고르세요. ①
2 그림에 알맞은 단어를 고르세요. ④ year
3 그림에 없는 단어를 고르세요. ② bus stop
4 그림과 어구가 일치하지 않는 것을 고르세요. ③ go on a picnic
5 그림에 알맞은 단어를 보기에서 골라 기호를 쓰세요. (1) ⓑ (2) ⓒ
6 그림을 보고 문장의 빈칸에 알맞은 단어를 고르세요. ④ weekend
7 그림에 알맞은 어구를 골라 쓰세요. watch a movie
8 그림에 알맞은 단어가 되도록 알파벳을 바르게 배열하여 쓰세요. (1) designer (2) farmer

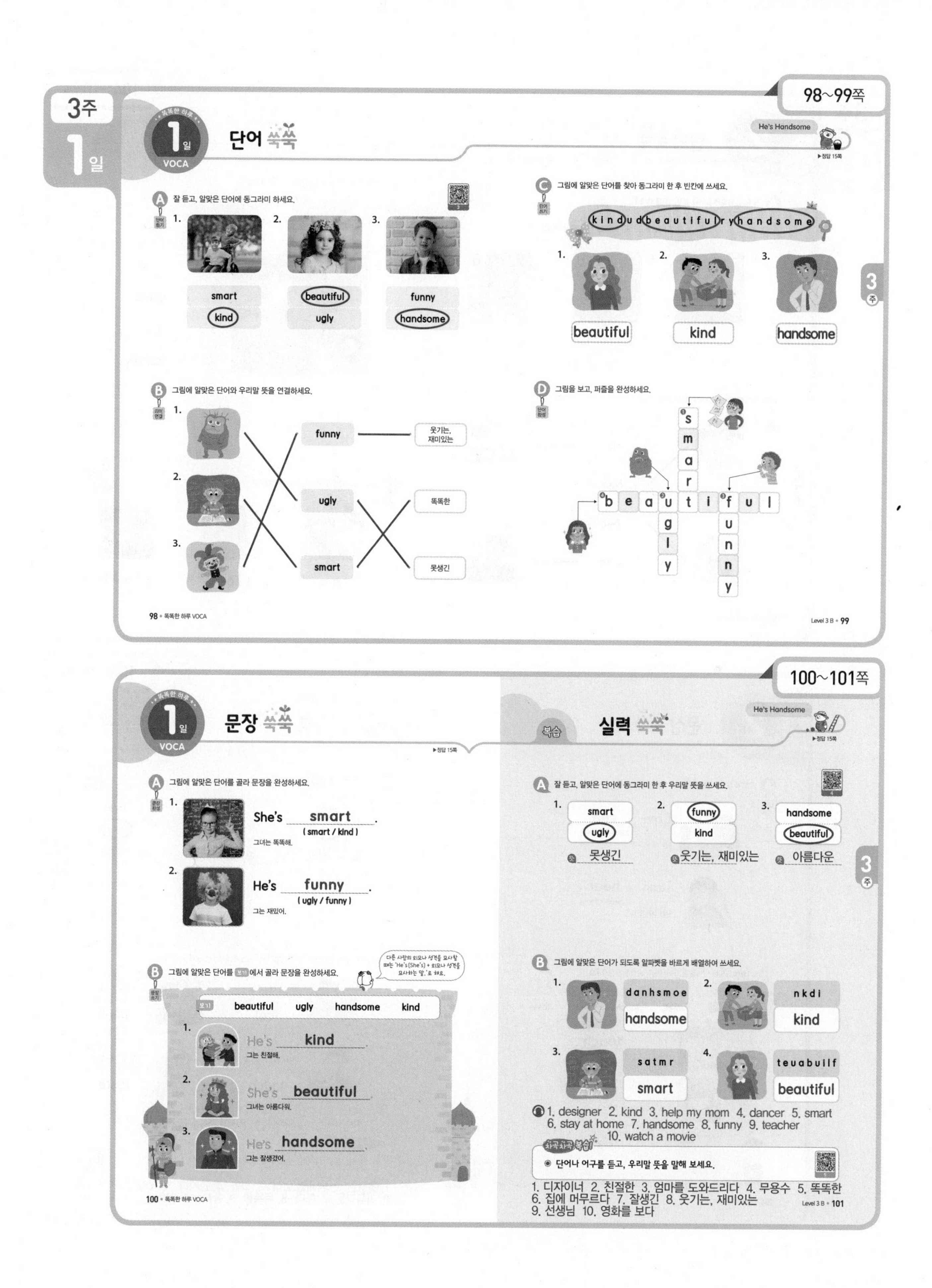
3주
1일
98~99쪽
1일 VOCA
단어 쑥쑥
He's Handsome
▶정답 15쪽
A 잘 듣고, 알맞은 단어에 동그라미 하세요.
1. smart kind
2. beautiful ugly
3. funny handsome
B 그림에 알맞은 단어와 우리말 뜻을 연결하세요.
funny
ugly
smart
웃기는, 재미있는
똑똑한
못생긴
C 그림에 알맞은 단어를 찾아 동그라미 한 후 빈칸에 쓰세요.
kindudbeautifulryhandsome
1. beautiful
2. kind
3. handsome
D 그림을 보고, 퍼즐을 완성하세요.
smart
beautiful
ugly
funny
98 • 똑똑한 하루 VOCA
Level 3 B • 99
100~101쪽
1일 VOCA
문장 쑥쑥
▶정답 15쪽
A 그림에 알맞은 단어를 골라 문장을 완성하세요.
1. She's smart.
(smart / kind)
그녀는 똑똑해.
2. He's funny.
(ugly / funny)
그는 재밌어.
B 그림에 알맞은 단어를 보기에서 골라 문장을 완성하세요.
다른 사람의 외모나 성격을 묘사할 때는 'He's(She's) + 외모나 성격을 묘사하는 말.'로 해요.
보기 beautiful ugly handsome kind
1. He's kind.
그는 친절해.
2. She's beautiful.
그녀는 아름다워.
3. He's handsome.
그는 잘생겼어.
100 • 똑똑한 하루 VOCA
복습
실력 쑥쑥
He's Handsome
▶정답 15쪽
A 잘 듣고, 알맞은 단어에 동그라미 한 후 우리말 뜻을 쓰세요.
1. smart ugly 못생긴
2. funny kind 웃기는, 재미있는
3. handsome beautiful 아름다운
B 그림에 알맞은 단어가 되도록 알파벳을 바르게 배열하여 쓰세요.
1. danhsmoe handsome
2. nkdi kind
3. satmr smart
4. teuabuilf beautiful
1. designer 2. kind 3. help my mom 4. dancer 5. smart
6. stay at home 7. handsome 8. funny 9. teacher
10. watch a movie
차곡차곡 복습
단어나 어구를 듣고, 우리말 뜻을 말해 보세요.
1. 디자이너 2. 친절한 3. 엄마를 도와드리다 4. 무용수 5. 똑똑한
6. 집에 머무르다 7. 잘생긴 8. 웃기는, 재미있는
9. 선생님 10. 영화를 보다
Level 3 B • 101
3주

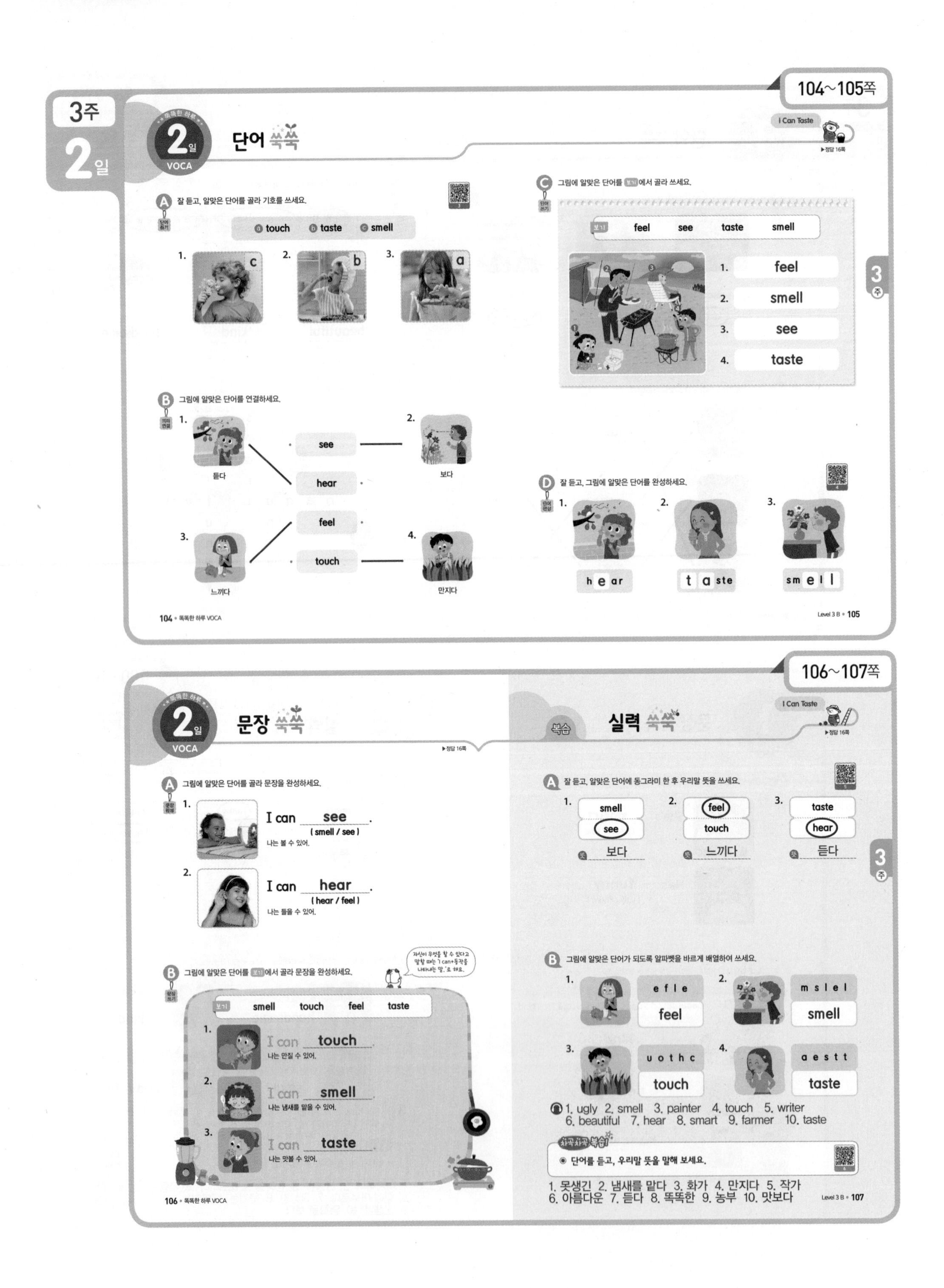

104~105쪽

3주 2일

2일 VOCA 단어 쑥쑥

I Can Taste

▶정답 16쪽

A 잘 듣고, 알맞은 단어를 골라 기호를 쓰세요.

ⓐ touch ⓑ taste ⓒ smell

1. c 2. b 3. a

B 그림에 알맞은 단어를 연결하세요.

1. 듣다 — hear
2. 보다 — see
3. 느끼다 — feel
4. 만지다 — touch

C 그림에 알맞은 단어를 보기에서 골라 쓰세요.

보기 feel see taste smell

1. feel
2. smell
3. see
4. taste

D 잘 듣고, 그림에 알맞은 단어를 완성하세요.

1. h e ar 2. t a ste 3. sm e l l

104 • 똑똑한 하루 VOCA Level 3 B • 105

106~107쪽

2일 VOCA 문장 쑥쑥

▶정답 16쪽

A 그림에 알맞은 단어를 골라 문장을 완성하세요.

1. I can see. (smell / see) 나는 볼 수 있어.
2. I can hear. (hear / feel) 나는 들을 수 있어.

B 그림에 알맞은 단어를 보기에서 골라 문장을 완성하세요.

자신이 무엇을 할 수 있다고 말할 때는 'I can+동작을 나타내는 말.'로 해요.

보기 smell touch feel taste

1. I can touch. 나는 만질 수 있어.
2. I can smell. 나는 냄새를 맡을 수 있어.
3. I can taste. 나는 맛볼 수 있어.

106 • 똑똑한 하루 VOCA

복습 실력 쑥쑥

I Can Taste

▶정답 16쪽

A 잘 듣고, 알맞은 단어에 동그라미 한 후 우리말 뜻을 쓰세요.

1. smell / (see) 뜻 보다
2. (feel) / touch 뜻 느끼다
3. taste / (hear) 뜻 듣다

B 그림에 알맞은 단어가 되도록 알파벳을 바르게 배열하여 쓰세요.

1. e f l e → feel
2. m s l e l → smell
3. u o t h c → touch
4. a e s t t → taste

1. ugly 2. smell 3. painter 4. touch 5. writer
6. beautiful 7. hear 8. smart 9. farmer 10. taste

차곡차곡 복습!

◉ 단어를 듣고, 우리말 뜻을 말해 보세요.

1. 못생긴 2. 냄새를 맡다 3. 화가 4. 만지다 5. 작가
6. 아름다운 7. 듣다 8. 똑똑한 9. 농부 10. 맛보다

Level 3 B • 107

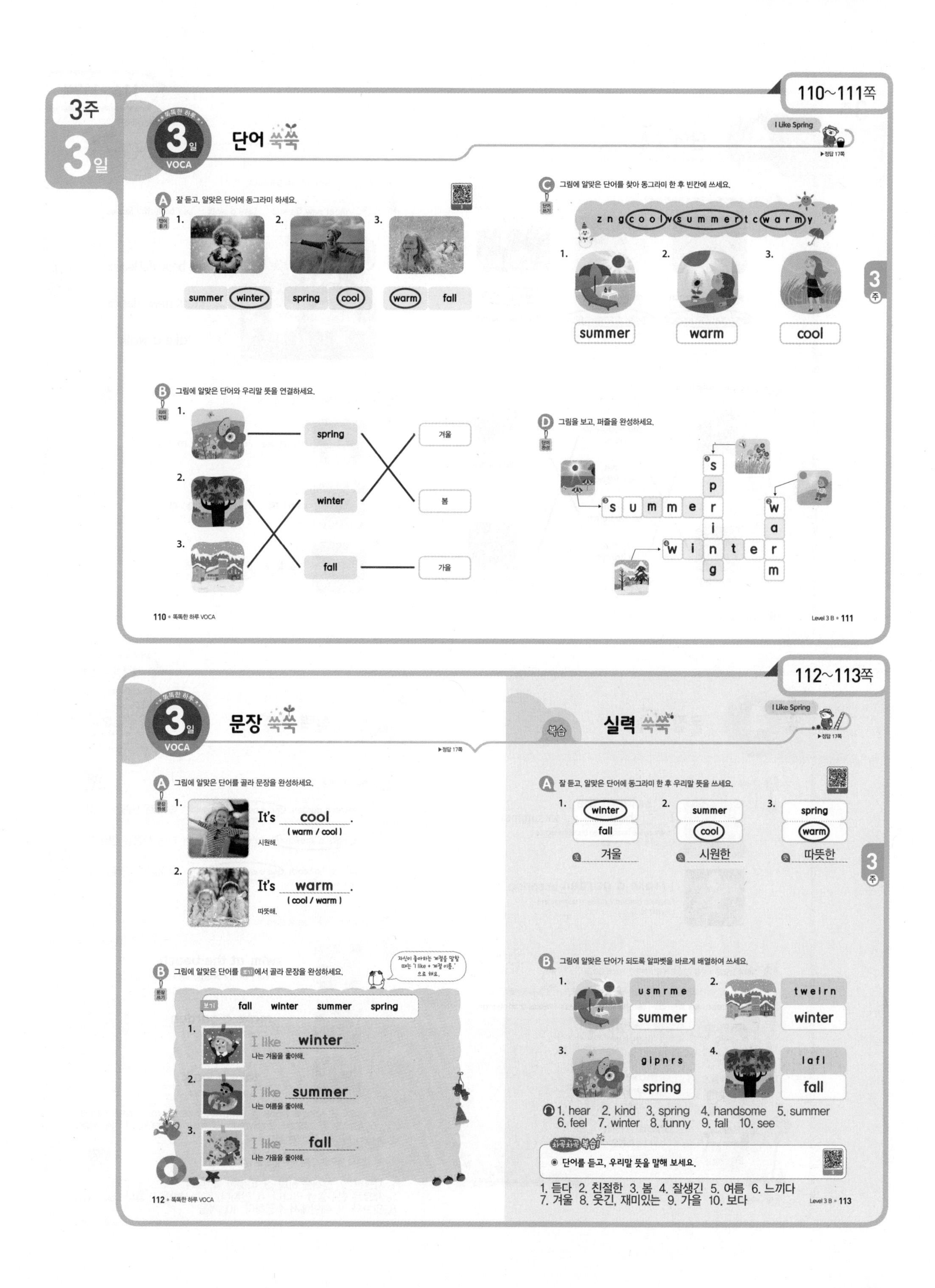
3주 3일

110~111쪽

3일 VOCA 단어 쑥쑥

I Like Spring

▶정답 17쪽

A 잘 듣고, 알맞은 단어에 동그라미 하세요.

1. summer (winter)
2. spring (cool)
3. (warm) fall

B 그림에 알맞은 단어와 우리말 뜻을 연결하세요.

1. spring — 봄
2. fall — 가을
3. winter — 겨울

C 그림에 알맞은 단어를 찾아 동그라미 한 후 빈칸에 쓰세요.

z n g (c o o l) v (s u m m e r) t c (w a r m) y

1. summer
2. warm
3. cool

D 그림을 보고, 퍼즐을 완성하세요.

spring / summer / winter / warm

110 • 똑똑한 하루 VOCA

Level 3 B • 111

112~113쪽

3일 VOCA 문장 쑥쑥

▶정답 17쪽

A 그림에 알맞은 단어를 골라 문장을 완성하세요.

1. It's cool. (warm / cool) 시원해.
2. It's warm. (cool / warm) 따뜻해.

B 그림에 알맞은 단어를 보기에서 골라 문장을 완성하세요.

자신이 좋아하는 계절을 말할 때는 'I like + 계절 이름.'으로 해요.

보기 fall winter summer spring

1. I like winter. 나는 겨울을 좋아해.
2. I like summer. 나는 여름을 좋아해.
3. I like fall. 나는 가을을 좋아해.

112 • 똑똑한 하루 VOCA

복습 실력 쑥쑥

I Like Spring

▶정답 17쪽

A 잘 듣고, 알맞은 단어에 동그라미 한 후 우리말 뜻을 쓰세요.

1. (winter) fall — 겨울
2. summer (cool) — 시원한
3. spring (warm) — 따뜻한

B 그림에 알맞은 단어가 되도록 알파벳을 바르게 배열하여 쓰세요.

1. u s m r m e — summer
2. t w e i r n — winter
3. g i p n r s — spring
4. l a f l — fall

1. hear 2. kind 3. spring 4. handsome 5. summer 6. feel 7. winter 8. funny 9. fall 10. see

차곡차곡 복습

● 단어를 듣고, 우리말 뜻을 말해 보세요.

1. 듣다 2. 친절한 3. 봄 4. 잘생긴 5. 여름 6. 느끼다 7. 겨울 8. 웃긴, 재미있는 9. 가을 10. 보다

Level 3 B • 113

3주 4일

116~117쪽

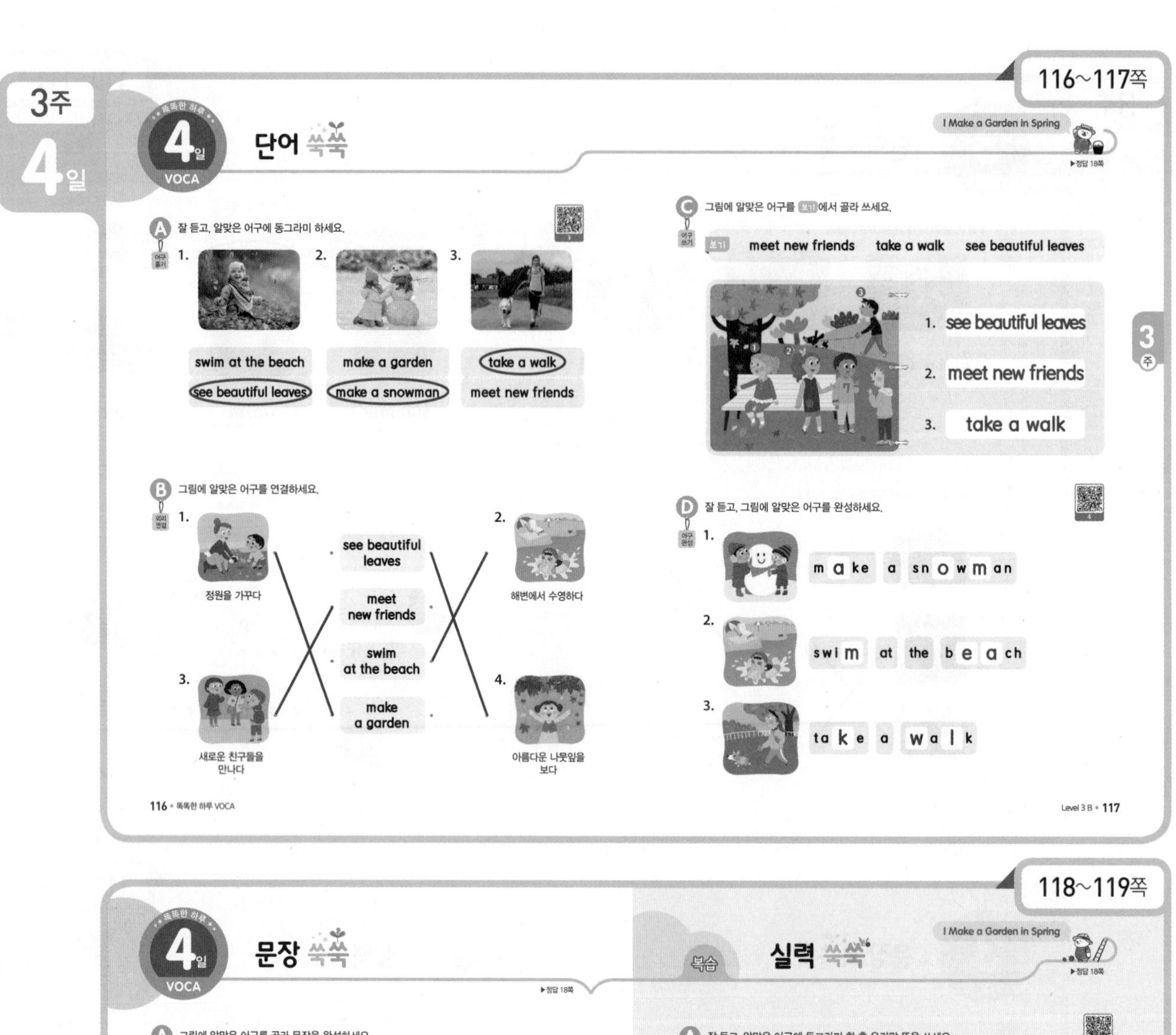

4일 VOCA 단어 쑥쑥

I Make a Garden in Spring

▶정답 18쪽

A 잘 듣고, 알맞은 어구에 동그라미 하세요.

1. swim at the beach / (see beautiful leaves)
2. make a garden / (make a snowman)
3. (take a walk) / meet new friends

B 그림에 알맞은 어구를 연결하세요.

1. 정원을 가꾸다 — make a garden
2. 해변에서 수영하다 — swim at the beach
3. 새로운 친구들을 만나다 — meet new friends
4. 아름다운 나뭇잎을 보다 — see beautiful leaves

116 • 똑똑한 하루 VOCA

C 그림에 알맞은 어구를 보기에서 골라 쓰세요.

보기 meet new friends take a walk see beautiful leaves

1. see beautiful leaves
2. meet new friends
3. take a walk

D 잘 듣고, 그림에 알맞은 어구를 완성하세요.

1. make a snowman
2. swim at the beach
3. take a walk

Level 3 B • 117

118~119쪽

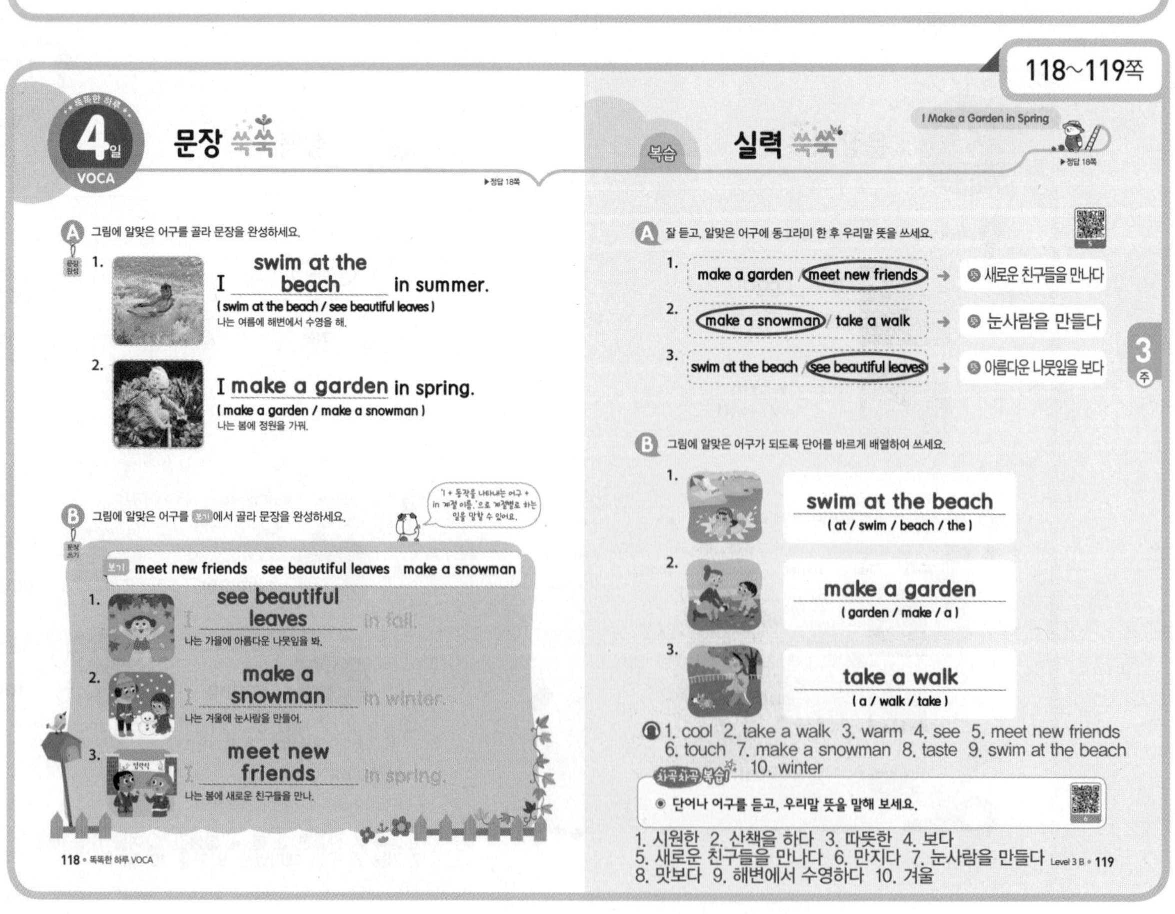

4일 VOCA 문장 쑥쑥

▶정답 18쪽

A 그림에 알맞은 어구를 골라 문장을 완성하세요.

1. I swim at the beach in summer.
(swim at the beach / see beautiful leaves)
나는 여름에 해변에서 수영을 해.

2. I make a garden in spring.
(make a garden / make a snowman)
나는 봄에 정원을 가꿔.

B 그림에 알맞은 어구를 보기에서 골라 문장을 완성하세요.

보기 meet new friends see beautiful leaves make a snowman

1. I see beautiful leaves in fall.
나는 가을에 아름다운 나뭇잎을 봐.

2. I make a snowman in winter.
나는 겨울에 눈사람을 만들어.

3. I meet new friends in spring.
나는 봄에 새로운 친구들을 만나.

118 • 똑똑한 하루 VOCA

복습 실력 쑥쑥

I Make a Garden in Spring

▶정답 18쪽

A 잘 듣고, 알맞은 어구에 동그라미 한 후 우리말 뜻을 쓰세요.

1. make a garden / (meet new friends) → 새로운 친구들을 만나다
2. (make a snowman) / take a walk → 눈사람을 만들다
3. swim at the beach / (see beautiful leaves) → 아름다운 나뭇잎을 보다

B 그림에 알맞은 어구가 되도록 단어를 바르게 배열하여 쓰세요.

1. swim at the beach (at / swim / beach / the)
2. make a garden (garden / make / a)
3. take a walk (a / walk / take)

1. cool 2. take a walk 3. warm 4. see 5. meet new friends 6. touch 7. make a snowman 8. taste 9. swim at the beach 10. winter

차곡차곡 복습

단어나 어구를 듣고, 우리말 뜻을 말해 보세요.

1. 시원한 2. 산책을 하다 3. 따뜻한 4. 보다 5. 새로운 친구들을 만나다 6. 만지다 7. 눈사람을 만들다 8. 맛보다 9. 해변에서 수영하다 10. 겨울

Level 3 B • 119

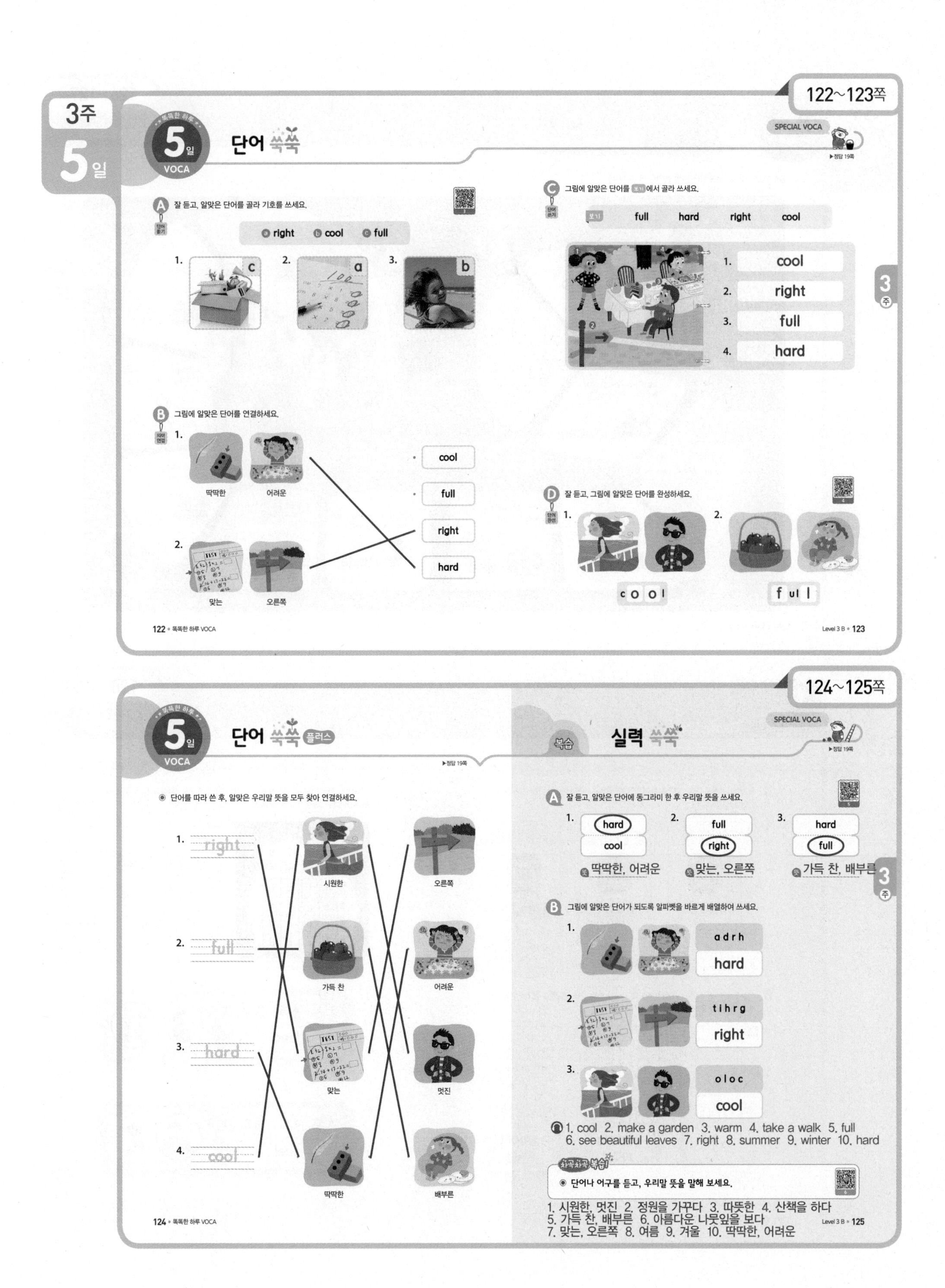
3주 5일
122~123쪽
단어 쑥쑥
A 잘 듣고, 알맞은 단어를 골라 기호를 쓰세요.
ⓐ right ⓑ cool ⓒ full
1. c 2. a 3. b
B 그림에 알맞은 단어를 연결하세요.
1. 딱딱한 어려운
2. 맞는 오른쪽
cool full right hard
C 그림에 알맞은 단어를 보기에서 골라 쓰세요.
보기 full hard right cool
1. cool
2. right
3. full
4. hard
D 잘 듣고, 그림에 알맞은 단어를 완성하세요.
1. cool 2. full
124~125쪽
단어 쑥쑥 플러스
단어를 따라 쓴 후, 알맞은 우리말 뜻을 모두 찾아 연결하세요.
1. right 2. full 3. hard 4. cool
시원한 오른쪽 가득 찬 어려운 맞는 멋진 딱딱한 배부른
복습 실력 쑥쑥
A 잘 듣고, 알맞은 단어에 동그라미 한 후 우리말 뜻을 쓰세요.
1. hard 딱딱한, 어려운
2. right 맞는, 오른쪽
3. full 가득 찬, 배부른
B 그림에 알맞은 단어가 되도록 알파벳을 바르게 배열하여 쓰세요.
1. adrh hard
2. tihrg right
3. oloc cool
1. cool 2. make a garden 3. warm 4. take a walk 5. full
6. see beautiful leaves 7. right 8. summer 9. winter 10. hard
차곡차곡 복습
단어나 어구를 듣고, 우리말 뜻을 말해 보세요.
1. 시원한, 멋진 2. 정원을 가꾸다 3. 따뜻한 4. 산책을 하다
5. 가득 찬, 배부른 6. 아름다운 나뭇잎을 보다
7. 맞는, 오른쪽 8. 여름 9. 겨울 10. 딱딱한, 어려운

3주
특강

126~127쪽

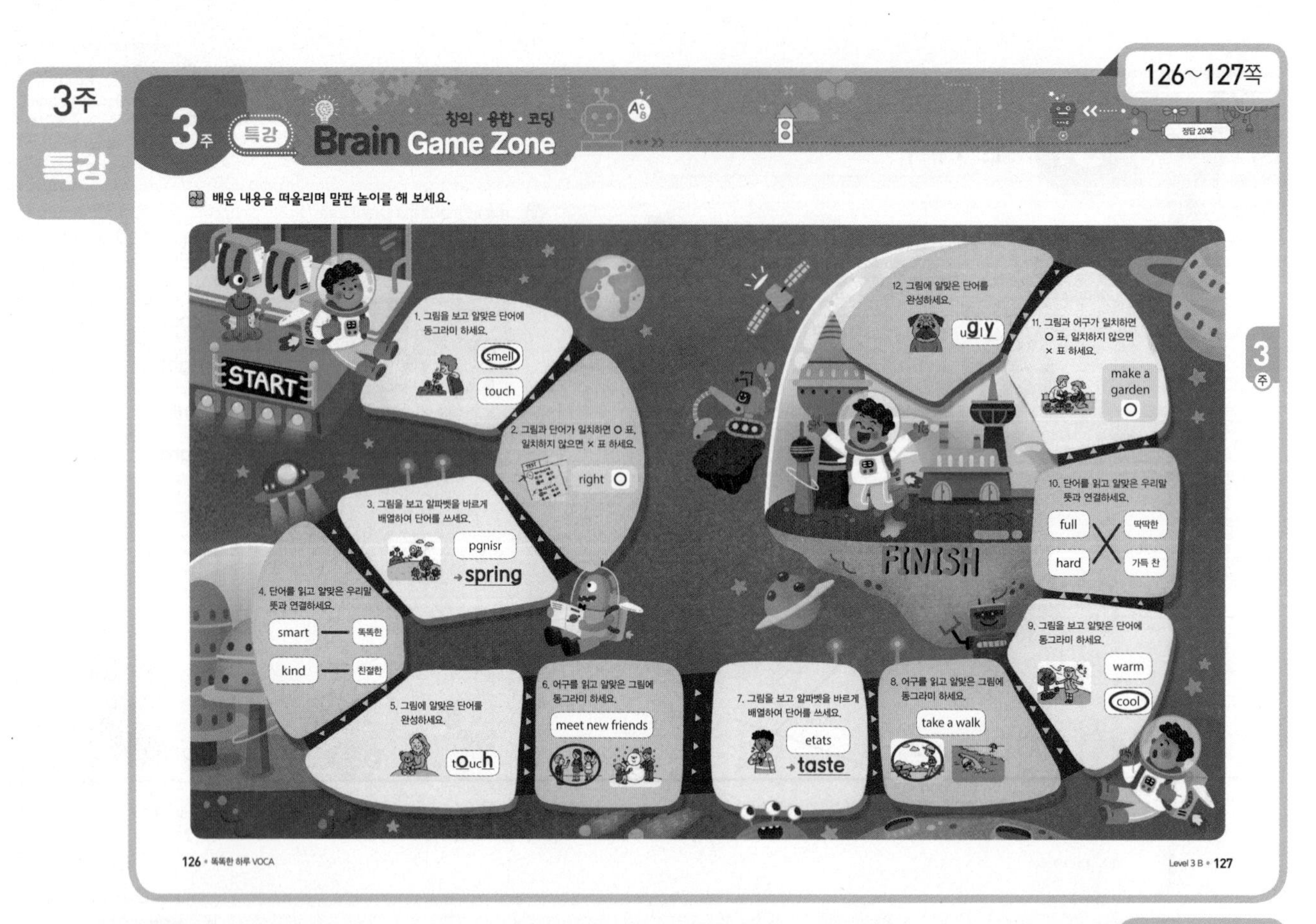

3주 특강 Brain Game Zone 창의·융합·코딩
배운 내용을 떠올리며 말판 놀이를 해 보세요.
START
1. 그림을 보고 알맞은 단어에 동그라미 하세요.
smell
touch
2. 그림과 단어가 일치하면 O 표, 일치하지 않으면 × 표 하세요.
right O
3. 그림을 보고 알파벳을 바르게 배열하여 단어를 쓰세요.
pgnisr
spring
4. 단어를 읽고 알맞은 우리말 뜻과 연결하세요.
smart
kind
똑똑한
친절한
5. 그림에 알맞은 단어를 완성하세요.
touch
6. 어구를 읽고 알맞은 그림에 동그라미 하세요.
meet new friends
7. 그림을 보고 알파벳을 바르게 배열하여 단어를 쓰세요.
etats
taste
8. 어구를 읽고 알맞은 그림에 동그라미 하세요.
take a walk
9. 그림을 보고 알맞은 단어에 동그라미 하세요.
warm
cool
10. 단어를 읽고 알맞은 우리말 뜻과 연결하세요.
full
hard
딱딱한
가득 찬
11. 그림과 어구가 일치하면 O 표, 일치하지 않으면 × 표 하세요.
make a garden
O
12. 그림에 알맞은 단어를 완성하세요.
ugly
FINISH
126 똑똑한 하루 VOCA
Level 3 B 127

128~129쪽

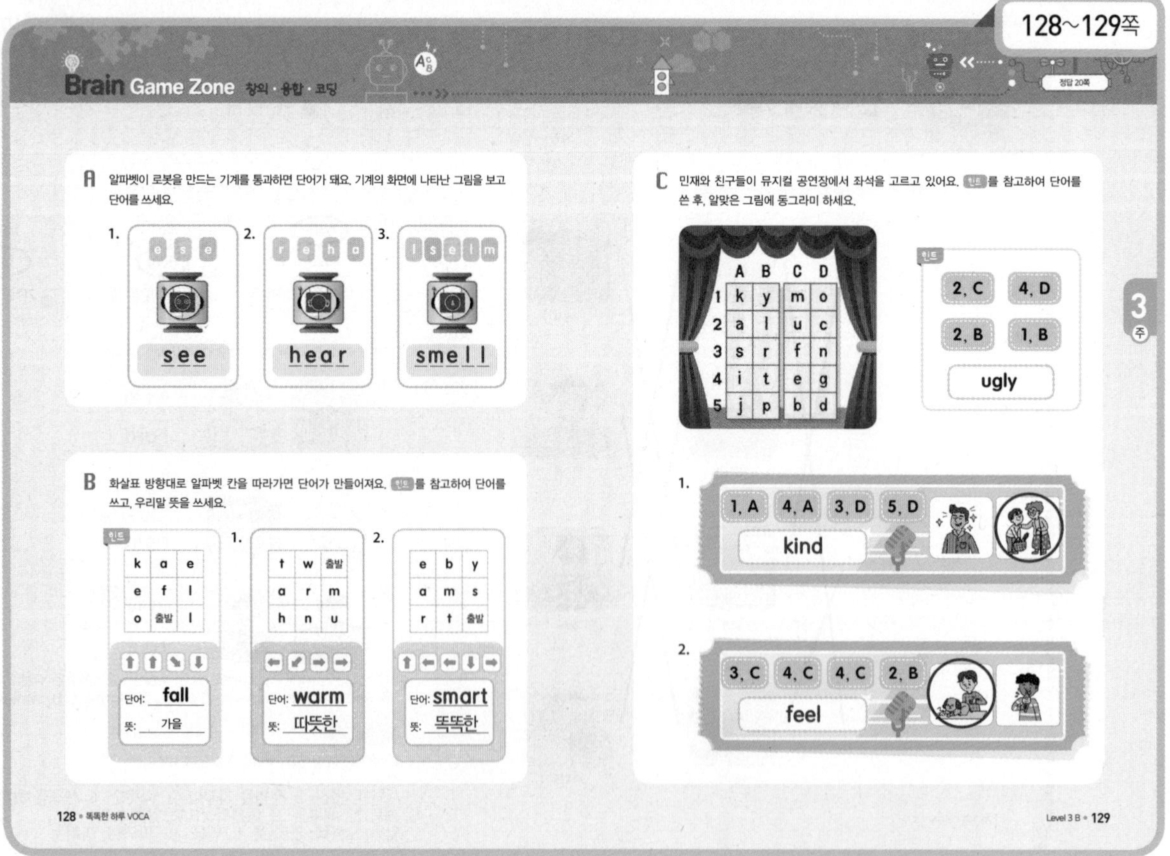

130~131쪽

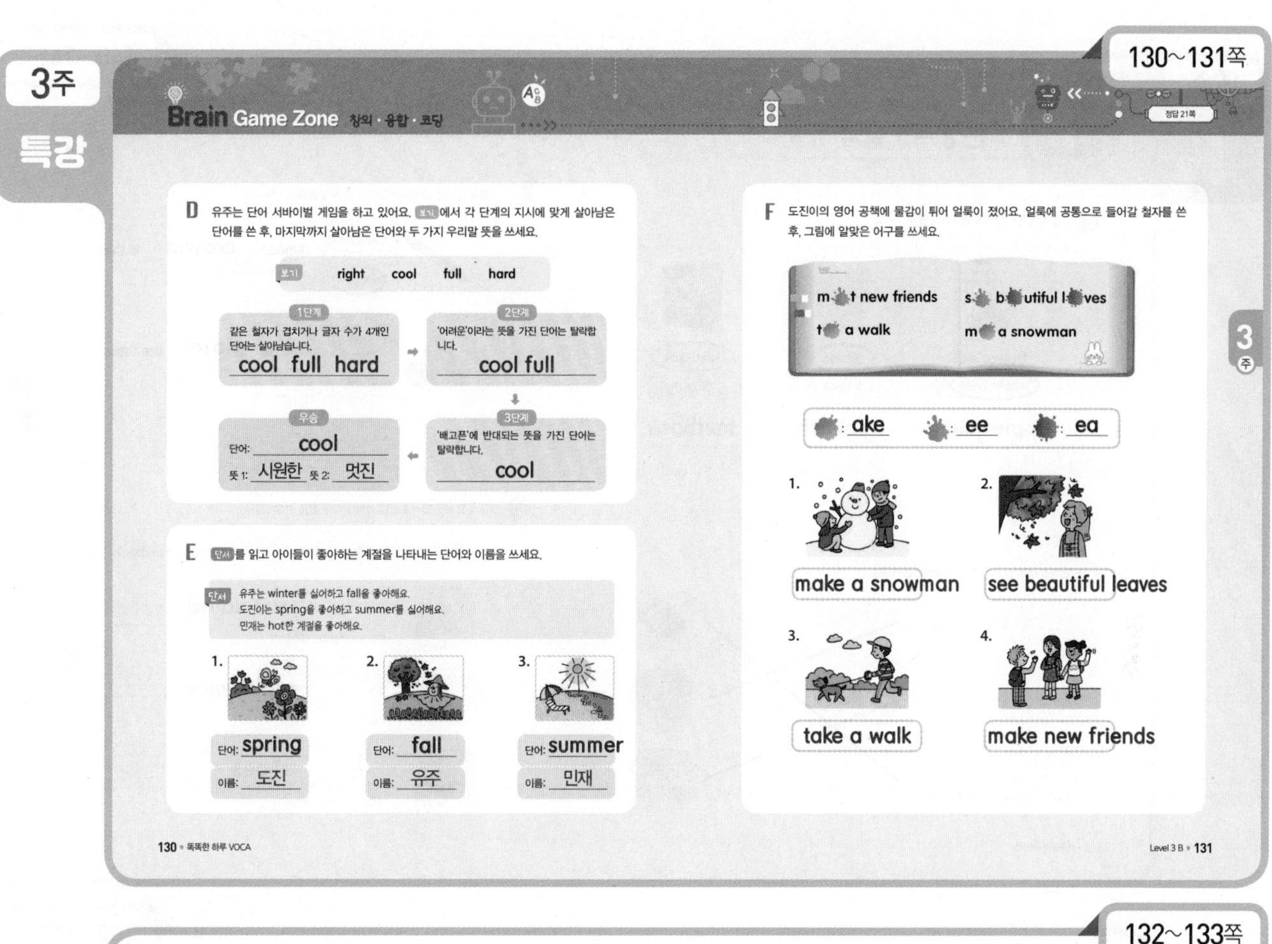

3주
특강
Brain Game Zone 창의·융합·코딩
D 유주는 단어 서바이벌 게임을 하고 있어요. 보기에서 각 단계의 지시에 맞게 살아남은 단어를 쓴 후, 마지막까지 살아남은 단어와 두 가지 우리말 뜻을 쓰세요.
보기 right cool full hard
1단계
같은 철자가 겹치거나 글자 수가 4개인 단어는 살아남습니다.
cool full hard
2단계
'어려운'이라는 뜻을 가진 단어는 탈락합니다.
cool full
3단계
'배고픈'에 반대되는 뜻을 가진 단어는 탈락합니다.
cool
우승
단어: cool
뜻 1: 시원한 뜻 2: 멋진
E 단서를 읽고 아이들이 좋아하는 계절을 나타내는 단어와 이름을 쓰세요.
단서 유주는 winter를 싫어하고 fall을 좋아해요.
도진이는 spring을 좋아하고 summer를 싫어해요.
민재는 hot한 계절을 좋아해요.
1. 단어: spring 이름: 도진
2. 단어: fall 이름: 유주
3. 단어: summer 이름: 민재
F 도진이의 영어 공책에 물감이 튀어 얼룩이 졌어요. 얼룩에 공통으로 들어갈 철자를 쓴 후, 그림에 알맞은 어구를 쓰세요.
m t new friends
s b utiful l ves
t a walk
m a snowman
ake ee ea
1. make a snowman
2. see beautiful leaves
3. take a walk
4. make new friends
130 똑똑한 하루 VOCA
Level 3 B 131

132~133쪽

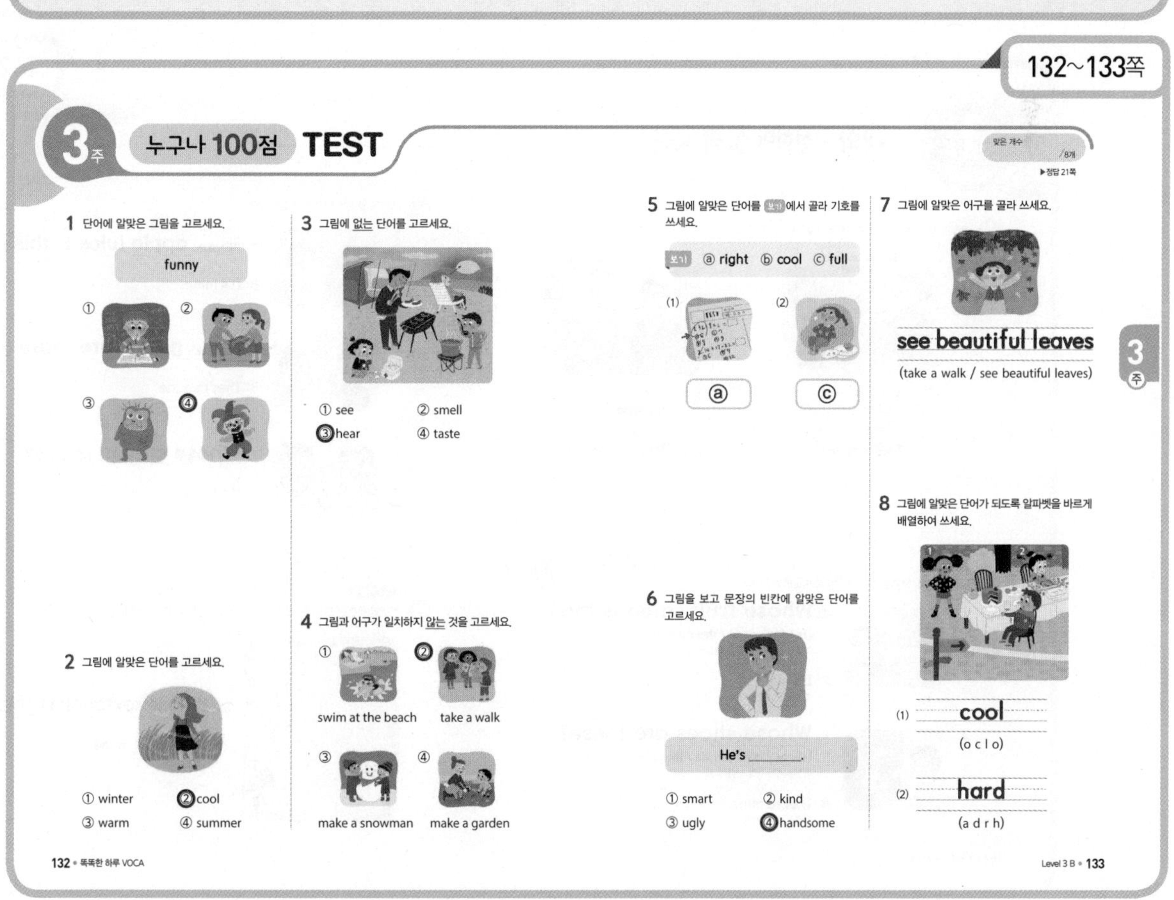

3주 누구나 100점 TEST
1 단어에 알맞은 그림을 고르세요.
funny
④
2 그림에 알맞은 단어를 고르세요.
① winter ② cool ③ warm ④ summer
3 그림에 없는 단어를 고르세요.
① see ② smell ③ hear ④ taste
4 그림과 어구가 일치하지 않는 것을 고르세요.
① swim at the beach ② take a walk ③ make a snowman ④ make a garden
5 그림에 알맞은 단어를 보기에서 골라 기호를 쓰세요.
보기 ⓐ right ⓑ cool ⓒ full
(1) ⓐ (2) ⓒ
6 그림을 보고 문장의 빈칸에 알맞은 단어를 고르세요.
He's ______.
① smart ② kind ③ ugly ④ handsome
7 그림에 알맞은 어구를 골라 쓰세요.
see beautiful leaves
(take a walk / see beautiful leaves)
8 그림에 알맞은 단어가 되도록 알파벳을 바르게 배열하여 쓰세요.
(1) cool (o c l o)
(2) hard (a d r h)
132 똑똑한 하루 VOCA
Level 3 B 133

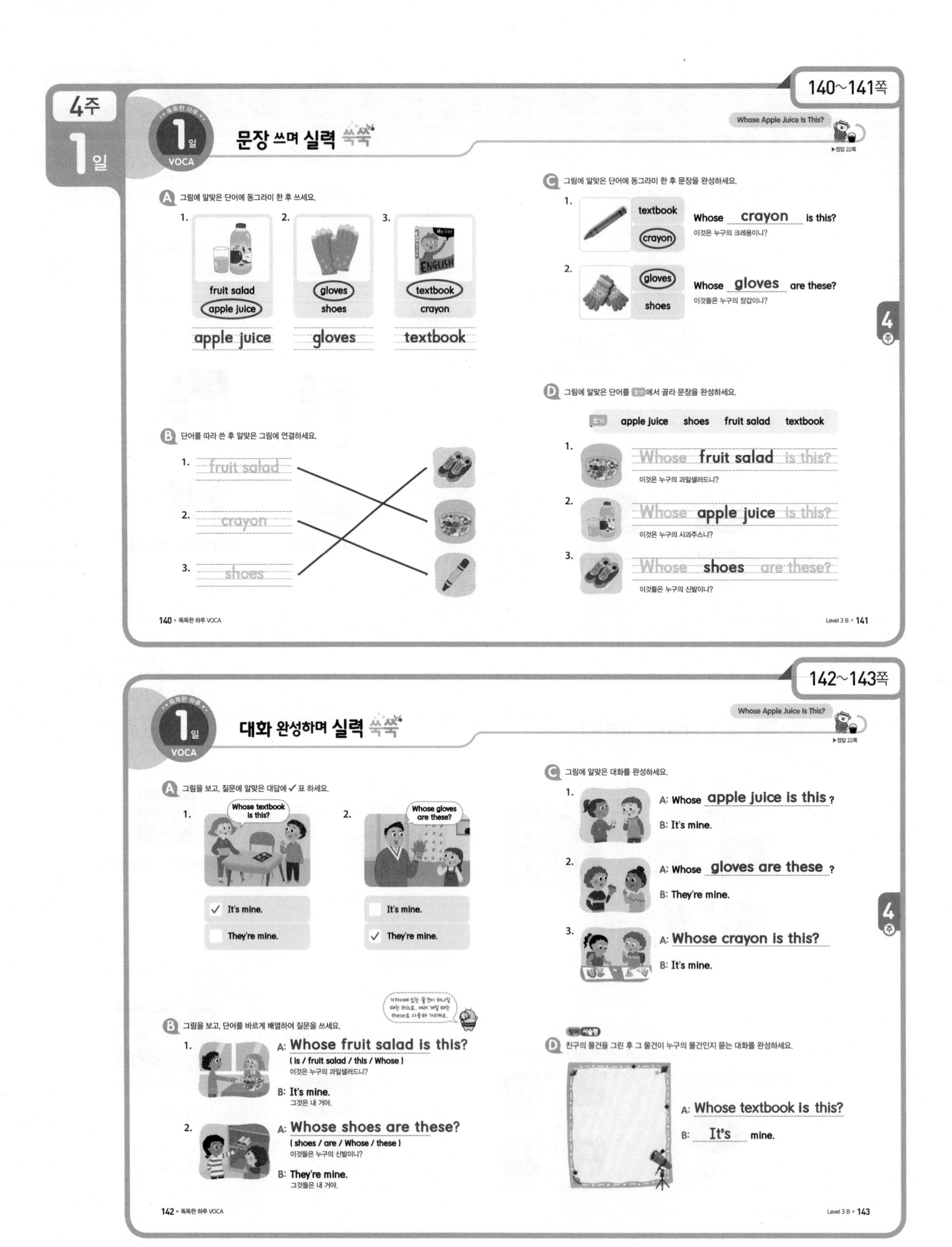
140~141쪽
4주 1일
1일 VOCA 문장 쓰며 실력 쑥쑥
Whose Apple Juice Is This?
A 그림에 알맞은 단어에 동그라미 한 후 쓰세요.
1. fruit salad apple juice — apple juice
2. gloves shoes — gloves
3. textbook crayon — textbook
B 단어를 따라 쓴 후 알맞은 그림에 연결하세요.
1. fruit salad
2. crayon
3. shoes
C 그림에 알맞은 단어에 동그라미 한 후 문장을 완성하세요.
1. textbook crayon — Whose crayon is this? 이것은 누구의 크레용이니?
2. gloves shoes — Whose gloves are these? 이것들은 누구의 장갑이니?
D 그림에 알맞은 단어를 보기에서 골라 문장을 완성하세요.
보기 apple juice shoes fruit salad textbook
1. Whose fruit salad is this? 이것은 누구의 과일샐러드니?
2. Whose apple juice is this? 이것은 누구의 사과주스니?
3. Whose shoes are these? 이것들은 누구의 신발이니?
140 • 똑똑한 하루 VOCA
Level 3 B • 141
142~143쪽
1일 VOCA 대화 완성하며 실력 쑥쑥
Whose Apple Juice Is This?
A 그림을 보고, 질문에 알맞은 대답에 ✓ 표 하세요.
1. Whose textbook is this? ✓ It's mine. They're mine.
2. Whose gloves are these? It's mine. ✓ They're mine.
B 그림을 보고, 단어를 바르게 배열하여 질문을 쓰세요.
1. A: Whose fruit salad is this? (is / fruit salad / this / Whose) 이것은 누구의 과일샐러드니?
B: It's mine. 그것은 내 거야.
2. A: Whose shoes are these? (shoes / are / Whose / these) 이것들은 누구의 신발이니?
B: They're mine. 그것들은 내 거야.
C 그림에 알맞은 대화를 완성하세요.
1. A: Whose apple juice is this? B: It's mine.
2. A: Whose gloves are these? B: They're mine.
3. A: Whose crayon is this? B: It's mine.
D 친구의 물건을 그린 후 그 물건이 누구의 물건인지 묻는 대화를 완성하세요.
A: Whose textbook is this?
B: It's mine.
142 • 똑똑한 하루 VOCA
Level 3 B • 143

정답

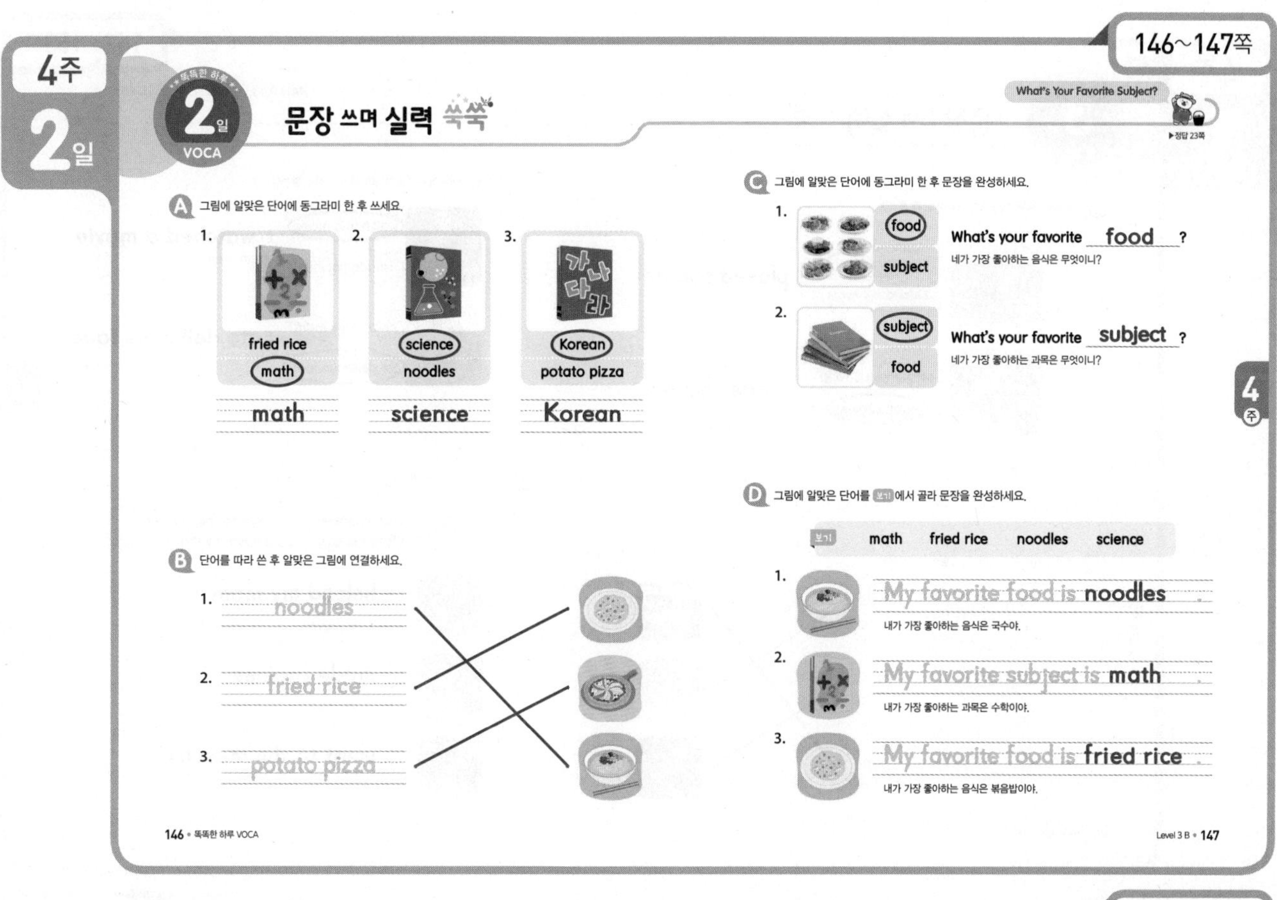
4주
2일
146~147쪽
2일 VOCA
문장 쓰며 실력 쑥쑥
What's Your Favorite Subject?
▶정답 23쪽
A 그림에 알맞은 단어에 동그라미 한 후 쓰세요.
1. fried rice (math) math
2. (science) noodles science
3. (Korean) potato pizza Korean
B 단어를 따라 쓴 후 알맞은 그림에 연결하세요.
1. noodles
2. fried rice
3. potato pizza
C 그림에 알맞은 단어에 동그라미 한 후 문장을 완성하세요.
1. (food) subject What's your favorite food ?
네가 가장 좋아하는 음식은 무엇이니?
2. (subject) food What's your favorite subject ?
네가 가장 좋아하는 과목은 무엇이니?
D 그림에 알맞은 단어를 보기에서 골라 문장을 완성하세요.
보기 math fried rice noodles science
1. My favorite food is noodles .
내가 가장 좋아하는 음식은 국수야.
2. My favorite subject is math .
내가 가장 좋아하는 과목은 수학이야.
3. My favorite food is fried rice .
내가 가장 좋아하는 음식은 볶음밥이야.
146 • 똑똑한 하루 VOCA
Level 3 B • 147

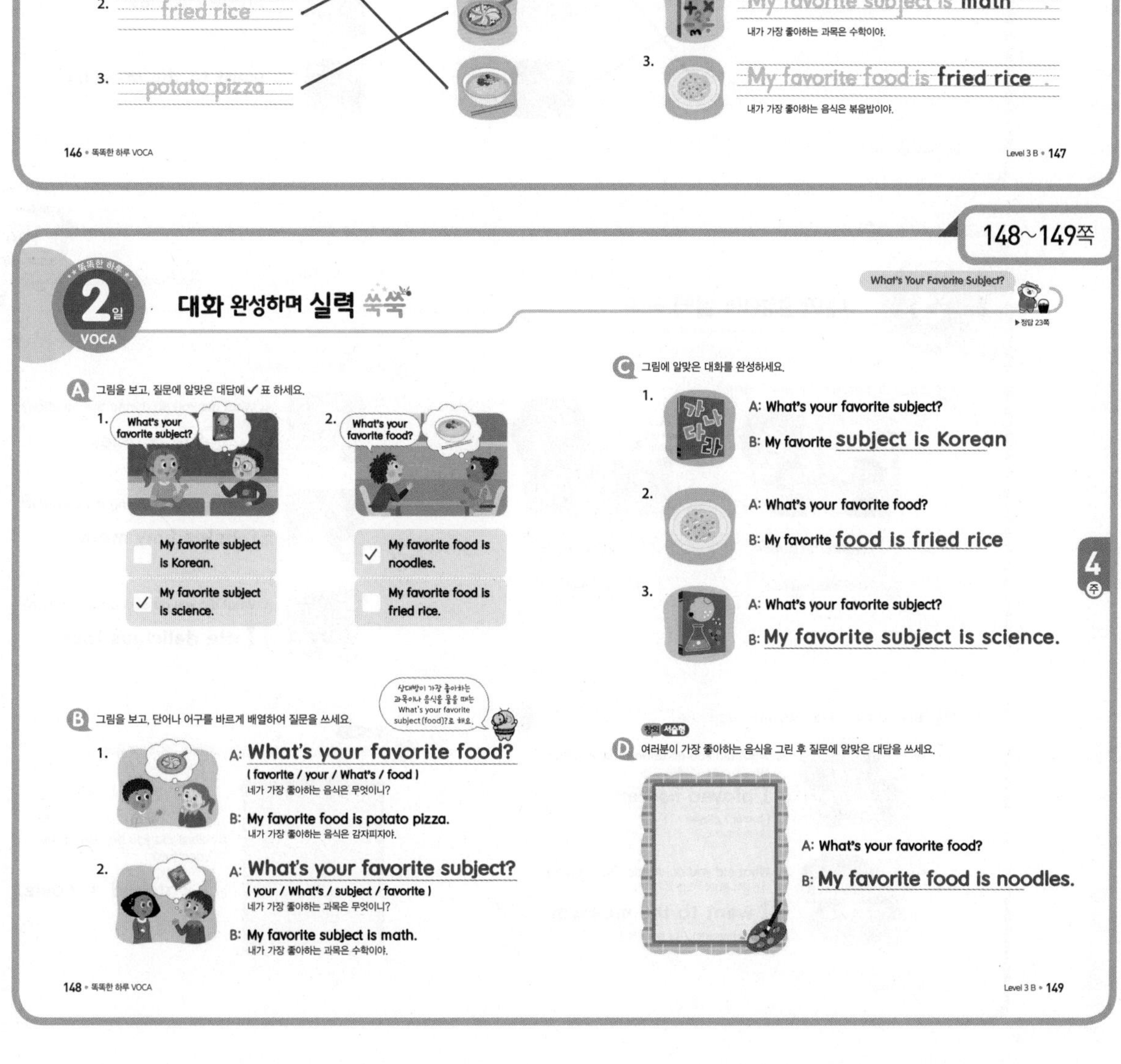
148~149쪽
2일 VOCA
대화 완성하며 실력 쑥쑥
What's Your Favorite Subject?
▶정답 23쪽
A 그림을 보고, 질문에 알맞은 대답에 ✓ 표 하세요.
1. What's your favorite subject?
My favorite subject is Korean.
✓ My favorite subject is science.
2. What's your favorite food?
✓ My favorite food is noodles.
My favorite food is fried rice.
B 그림을 보고, 단어나 어구를 바르게 배열하여 질문을 쓰세요.
1. A: What's your favorite food?
(favorite / your / What's / food)
네가 가장 좋아하는 음식은 무엇이니?
B: My favorite food is potato pizza.
내가 가장 좋아하는 음식은 감자피자야.
2. A: What's your favorite subject?
(your / What's / subject / favorite)
네가 가장 좋아하는 과목은 무엇이니?
B: My favorite subject is math.
내가 가장 좋아하는 과목은 수학이야.
C 그림에 알맞은 대화를 완성하세요.
1. A: What's your favorite subject?
B: My favorite subject is Korean
2. A: What's your favorite food?
B: My favorite food is fried rice
3. A: What's your favorite subject?
B: My favorite subject is science.
D 여러분이 가장 좋아하는 음식을 그린 후 질문에 알맞은 대답을 쓰세요.
A: What's your favorite food?
B: My favorite food is noodles.
148 • 똑똑한 하루 VOCA
Level 3 B • 149

4주 3일

152~153쪽

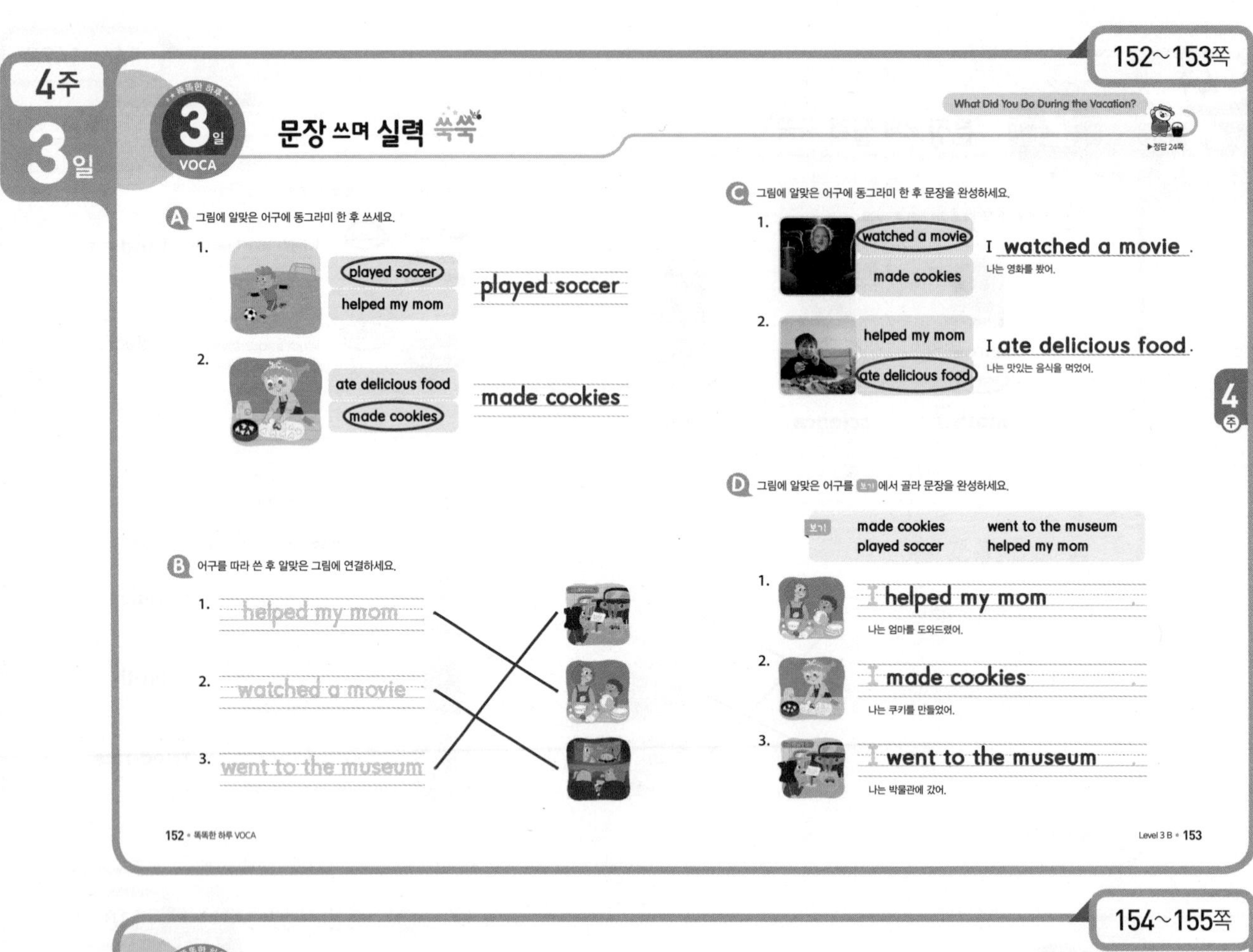

3일 VOCA
문장 쓰며 실력 쑥쑥
What Did You Do During the Vacation?
▶정답 24쪽
A 그림에 알맞은 어구에 동그라미 한 후 쓰세요.
1. played soccer
helped my mom
played soccer
2. ate delicious food
made cookies
made cookies
B 어구를 따라 쓴 후 알맞은 그림에 연결하세요.
1. helped my mom
2. watched a movie
3. went to the museum
C 그림에 알맞은 어구에 동그라미 한 후 문장을 완성하세요.
1. watched a movie
made cookies
I watched a movie.
나는 영화를 봤어.
2. helped my mom
ate delicious food
I ate delicious food.
나는 맛있는 음식을 먹었어.
D 그림에 알맞은 어구를 보기에서 골라 문장을 완성하세요.
보기 made cookies went to the museum played soccer helped my mom
1. I helped my mom.
나는 엄마를 도와드렸어.
2. I made cookies.
나는 쿠키를 만들었어.
3. I went to the museum.
나는 박물관에 갔어.
152 • 똑똑한 하루 VOCA
Level 3 B • 153

154~155쪽

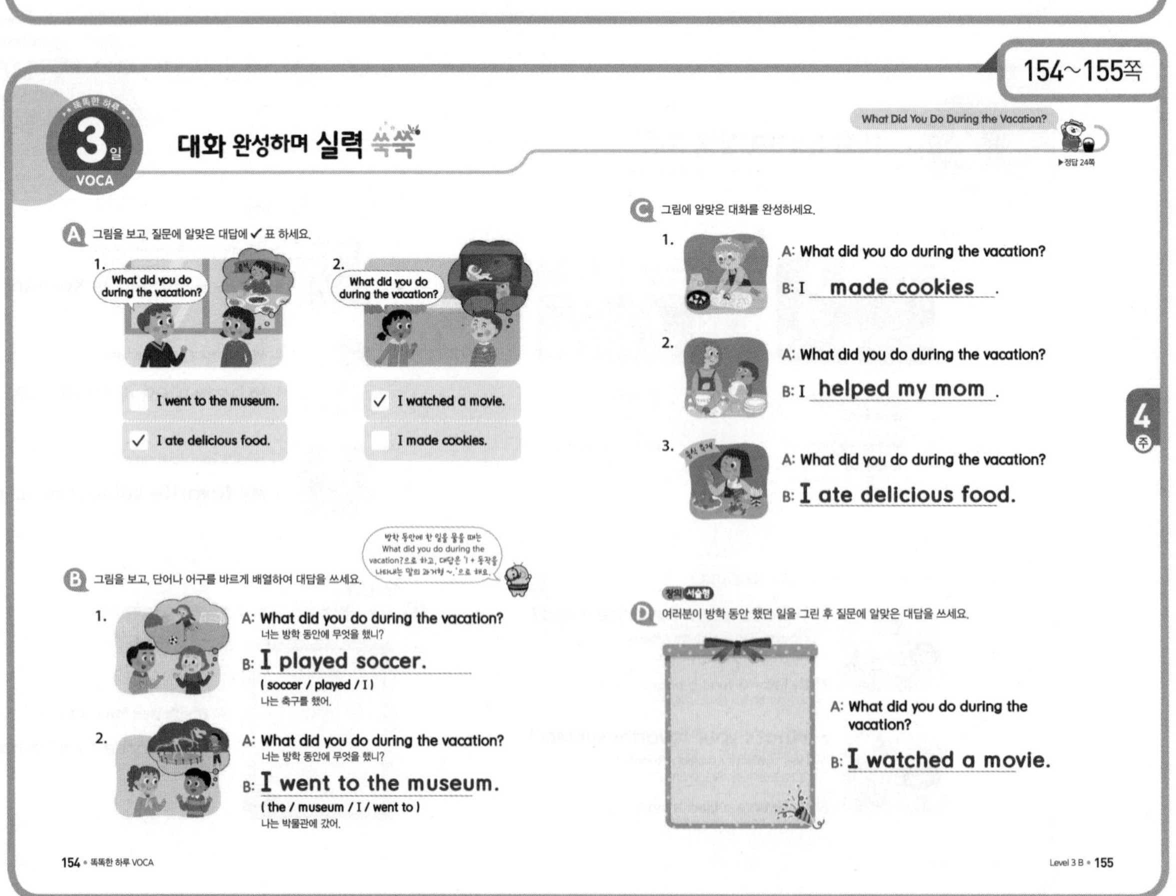

3일 VOCA
대화 완성하며 실력 쑥쑥
What Did You Do During the Vacation?
▶정답 24쪽
A 그림을 보고, 질문에 알맞은 대답에 ✓ 표 하세요.
1. What did you do during the vacation?
I went to the museum.
✓ I ate delicious food.
2. What did you do during the vacation?
✓ I watched a movie.
I made cookies.
B 그림을 보고, 단어나 어구를 바르게 배열하여 대답을 쓰세요.
1. A: What did you do during the vacation?
너는 방학 동안에 무엇을 했니?
B: I played soccer.
(soccer / played / I)
나는 축구를 했어.
2. A: What did you do during the vacation?
너는 방학 동안에 무엇을 했니?
B: I went to the museum.
(the / museum / I / went to)
나는 박물관에 갔어.
C 그림에 알맞은 대화를 완성하세요.
1. A: What did you do during the vacation?
B: I made cookies.
2. A: What did you do during the vacation?
B: I helped my mom.
3. A: What did you do during the vacation?
B: I ate delicious food.
창의 서술형
D 여러분이 방학 동안 했던 일을 그린 후 질문에 알맞은 대답을 쓰세요.
A: What did you do during the vacation?
B: I watched a movie.
154 • 똑똑한 하루 VOCA
Level 3 B • 155

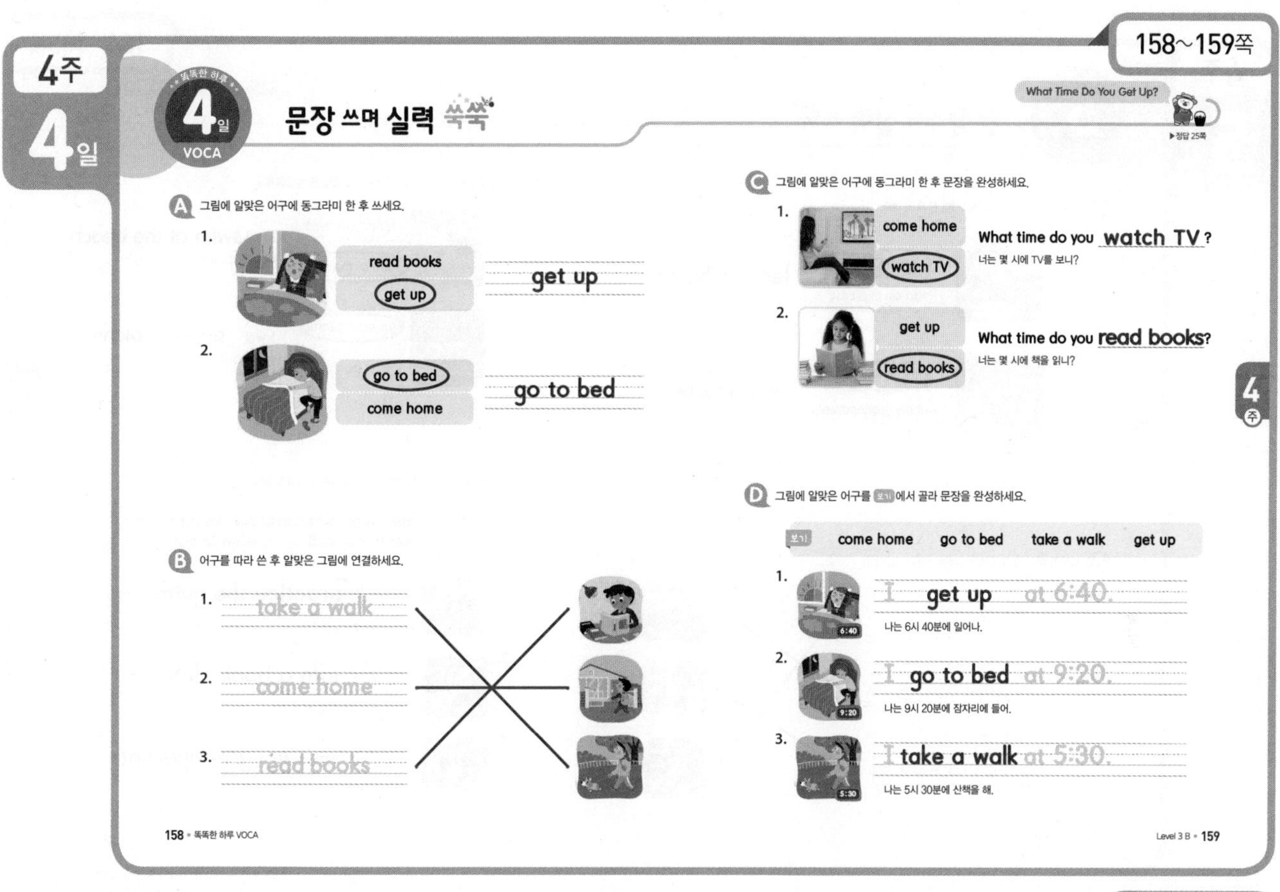

4주 4일
158~159쪽
문장 쓰며 실력 쑥쑥
What Time Do You Get Up?
▶정답 25쪽
A 그림에 알맞은 어구에 동그라미 한 후 쓰세요.
1. read books / get up — get up
2. go to bed / come home — go to bed
B 어구를 따라 쓴 후 알맞은 그림에 연결하세요.
1. take a walk
2. come home
3. read books
C 그림에 알맞은 어구에 동그라미 한 후 문장을 완성하세요.
1. come home / watch TV — What time do you watch TV? 너는 몇 시에 TV를 보니?
2. get up / read books — What time do you read books? 너는 몇 시에 책을 읽니?
D 그림에 알맞은 어구를 보기에서 골라 문장을 완성하세요.
보기 come home go to bed take a walk get up
1. I get up at 6:40. 나는 6시 40분에 일어나.
2. I go to bed at 9:20. 나는 9시 20분에 잠자리에 들어.
3. I take a walk at 5:30. 나는 5시 30분에 산책을 해.
158 • 똑똑한 하루 VOCA
Level 3 B • 159

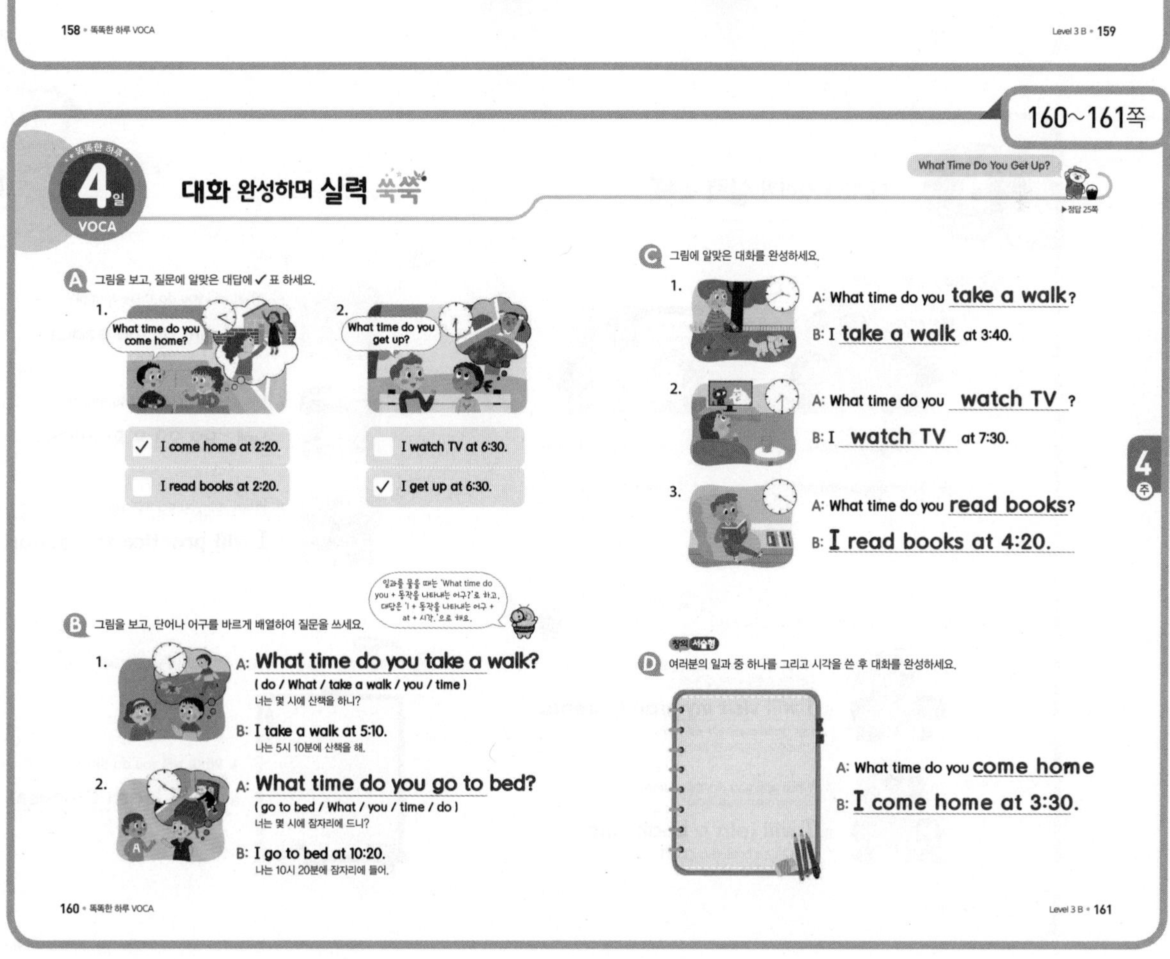

160~161쪽
대화 완성하며 실력 쑥쑥
What Time Do You Get Up?
▶정답 25쪽
A 그림을 보고, 질문에 알맞은 대답에 ✓표 하세요.
1. What time do you come home? ✓ I come home at 2:20. / I read books at 2:20.
2. What time do you get up? I watch TV at 6:30. / ✓ I get up at 6:30.
B 그림을 보고, 단어나 어구를 바르게 배열하여 질문을 쓰세요.
1. A: What time do you take a walk? (do / What / take a walk / you / time) 너는 몇 시에 산책을 하니?
B: I take a walk at 5:10. 나는 5시 10분에 산책을 해.
2. A: What time do you go to bed? (go to bed / What / you / time / do) 너는 몇 시에 잠자리에 드니?
B: I go to bed at 10:20. 나는 10시 20분에 잠자리에 들어.
C 그림에 알맞은 대화를 완성하세요.
1. A: What time do you take a walk? B: I take a walk at 3:40.
2. A: What time do you watch TV? B: I watch TV at 7:30.
3. A: What time do you read books? B: I read books at 4:20.
D 여러분의 일과 중 하나를 그리고 시각을 쓴 후 대화를 완성하세요.
A: What time do you come home
B: I come home at 3:30.
160 • 똑똑한 하루 VOCA
Level 3 B • 161

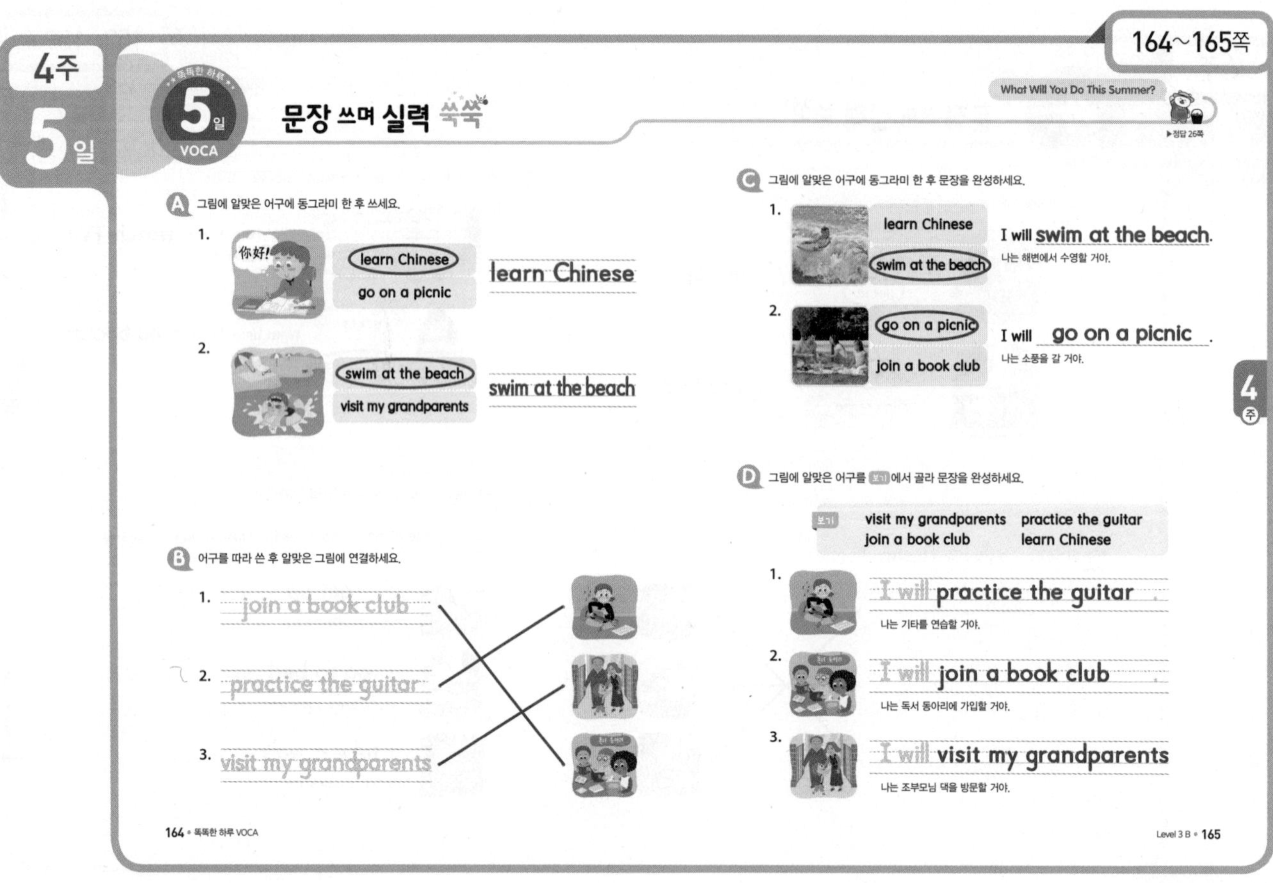
164~165쪽
4주
5일
5일 VOCA
문장 쓰며 실력 쑥쑥
What Will You Do This Summer?
▶정답 26쪽
A 그림에 알맞은 어구에 동그라미 한 후 쓰세요.
1. learn Chinese / go on a picnic — learn Chinese
2. swim at the beach / visit my grandparents — swim at the beach
B 어구를 따라 쓴 후 알맞은 그림에 연결하세요.
1. join a book club
2. practice the guitar
3. visit my grandparents
C 그림에 알맞은 어구에 동그라미 한 후 문장을 완성하세요.
1. learn Chinese / swim at the beach — I will swim at the beach.
나는 해변에서 수영할 거야.
2. go on a picnic / join a book club — I will go on a picnic.
나는 소풍을 갈 거야.
D 그림에 알맞은 어구를 보기에서 골라 문장을 완성하세요.
보기 visit my grandparents practice the guitar join a book club learn Chinese
1. I will practice the guitar.
나는 기타를 연습할 거야.
2. I will join a book club.
나는 독서 동아리에 가입할 거야.
3. I will visit my grandparents.
나는 조부모님 댁을 방문할 거야.
164 • 똑똑한 하루 VOCA
Level 3 B • 165

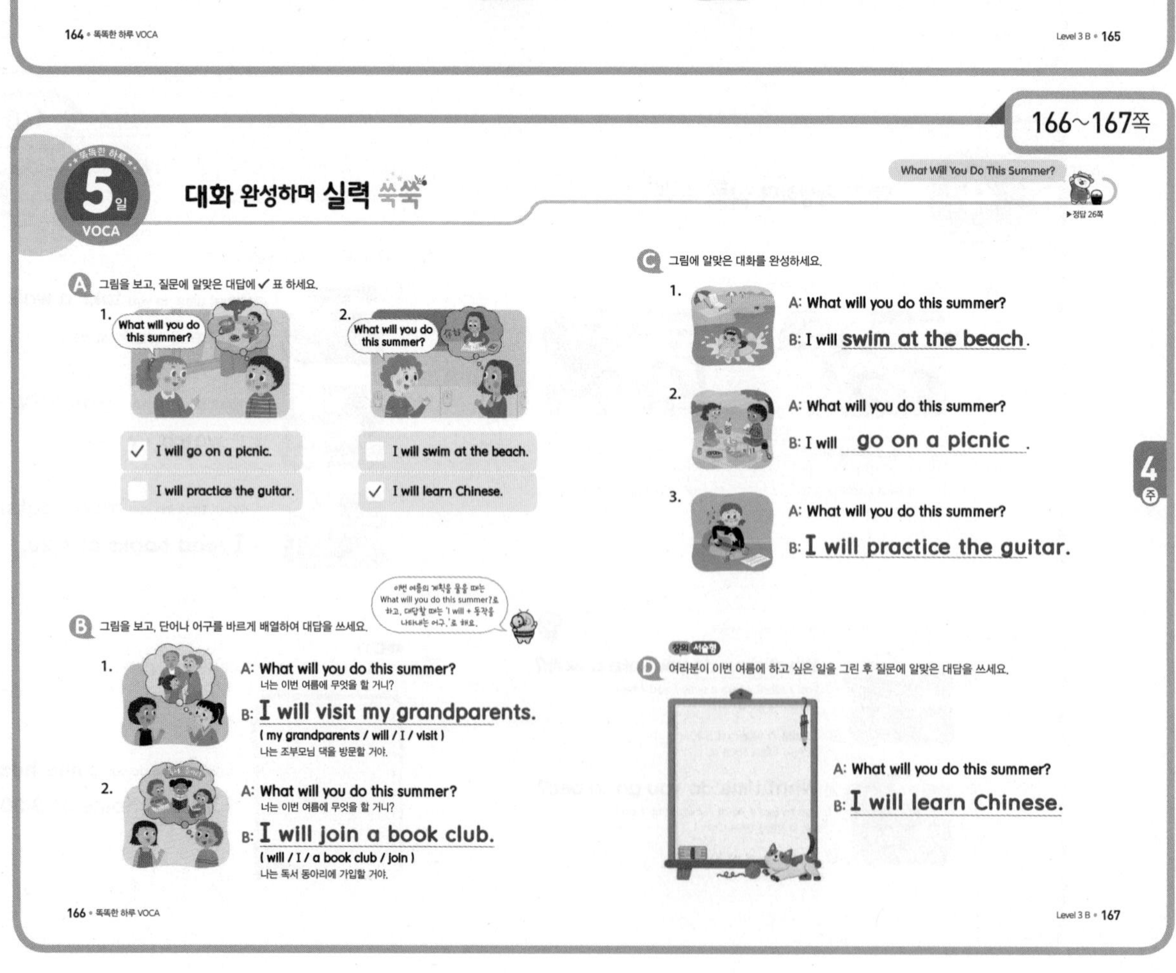
166~167쪽
5일 VOCA
대화 완성하며 실력 쑥쑥
What Will You Do This Summer?
▶정답 26쪽
A 그림을 보고, 질문에 알맞은 대답에 ✓ 표 하세요.
1. What will you do this summer?
✓ I will go on a picnic.
I will practice the guitar.
2. What will you do this summer?
I will swim at the beach.
✓ I will learn Chinese.
B 그림을 보고, 단어나 어구를 바르게 배열하여 대답을 쓰세요.
1. A: What will you do this summer?
너는 이번 여름에 무엇을 할 거니?
B: I will visit my grandparents.
(my grandparents / will / I / visit)
나는 조부모님 댁을 방문할 거야.
2. A: What will you do this summer?
너는 이번 여름에 무엇을 할 거니?
B: I will join a book club.
(will / I / a book club / join)
나는 독서 동아리에 가입할 거야.
C 그림에 알맞은 대화를 완성하세요.
1. A: What will you do this summer?
B: I will swim at the beach.
2. A: What will you do this summer?
B: I will go on a picnic.
3. A: What will you do this summer?
B: I will practice the guitar.
창의 서술형
D 여러분이 이번 여름에 하고 싶은 일을 그린 후 질문에 알맞은 대답을 쓰세요.
A: What will you do this summer?
B: I will learn Chinese.
166 • 똑똑한 하루 VOCA
Level 3 B • 167

4주 특강

168~169쪽

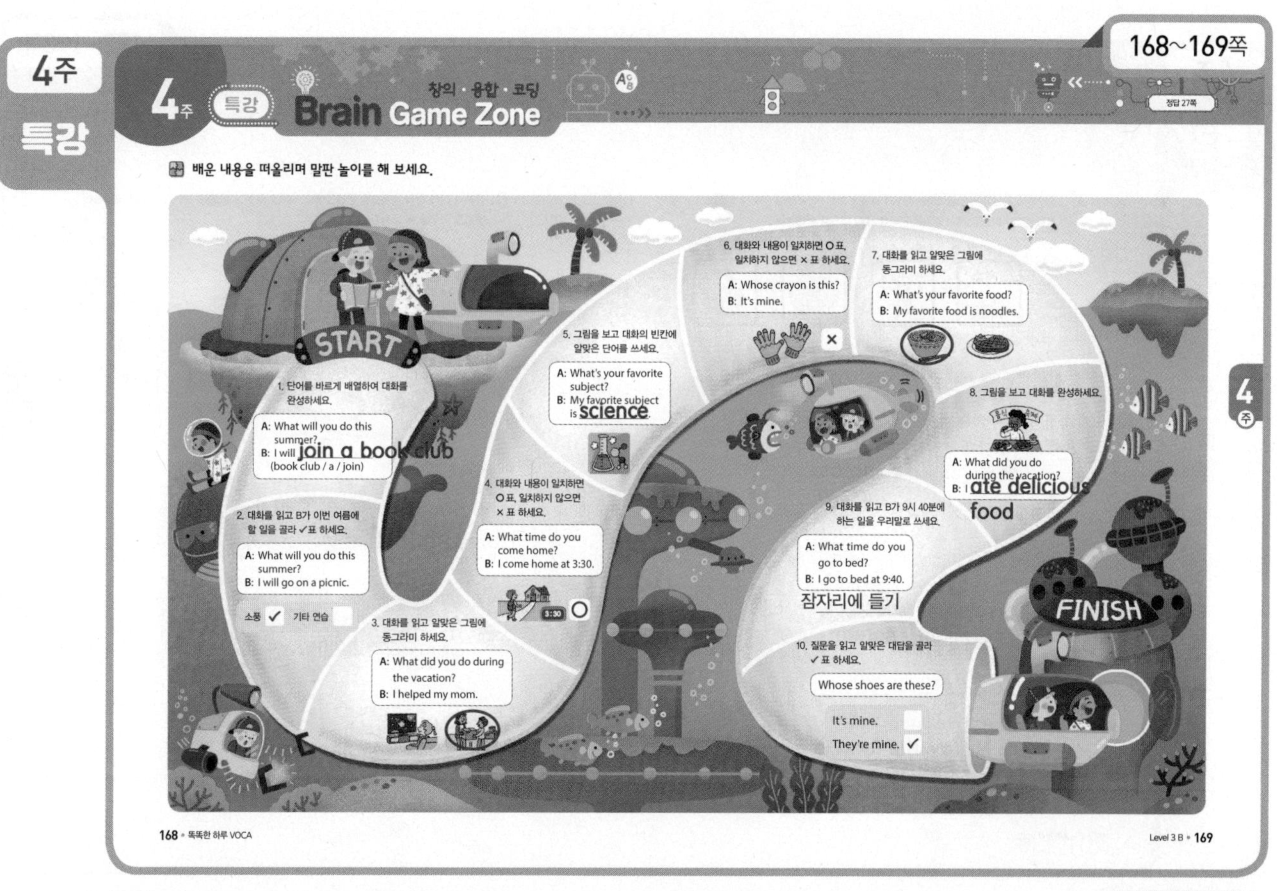

170~171쪽

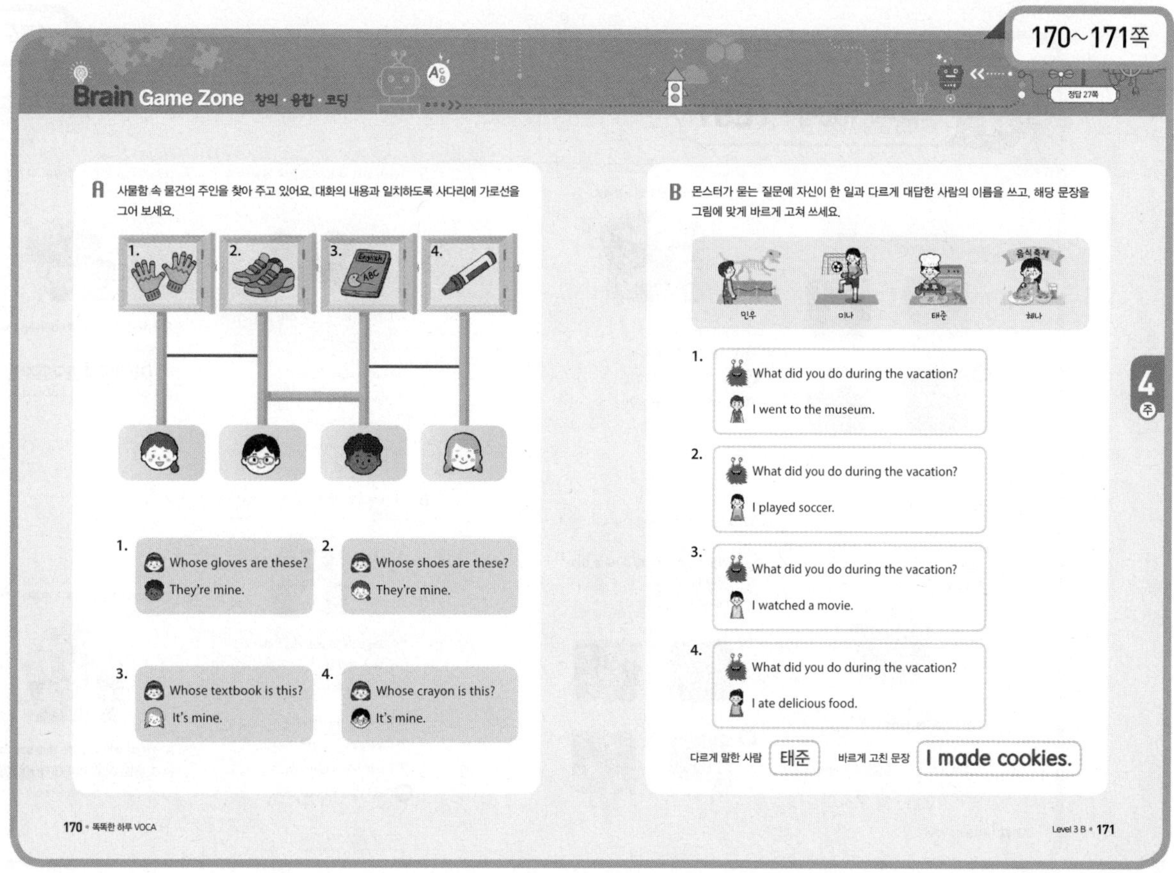

172~173쪽

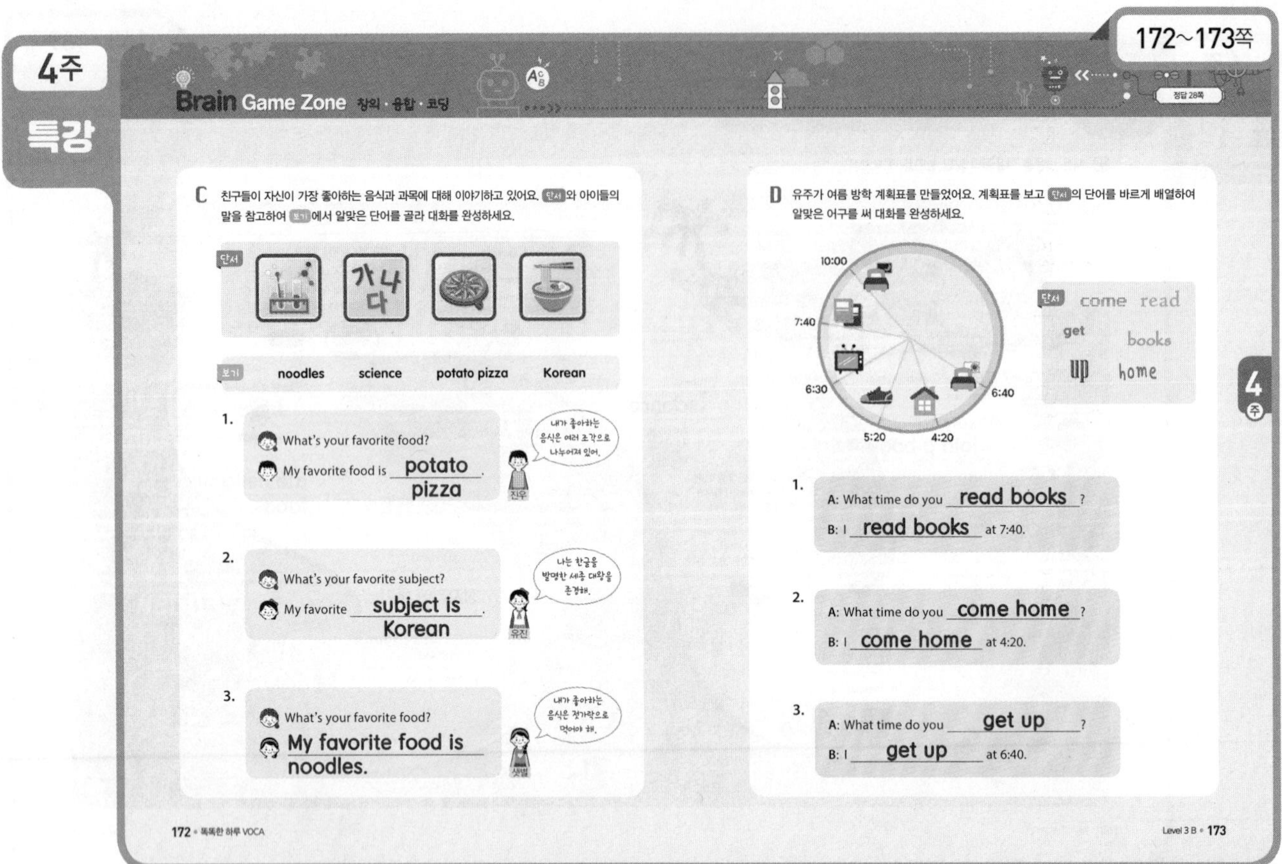

174~175쪽

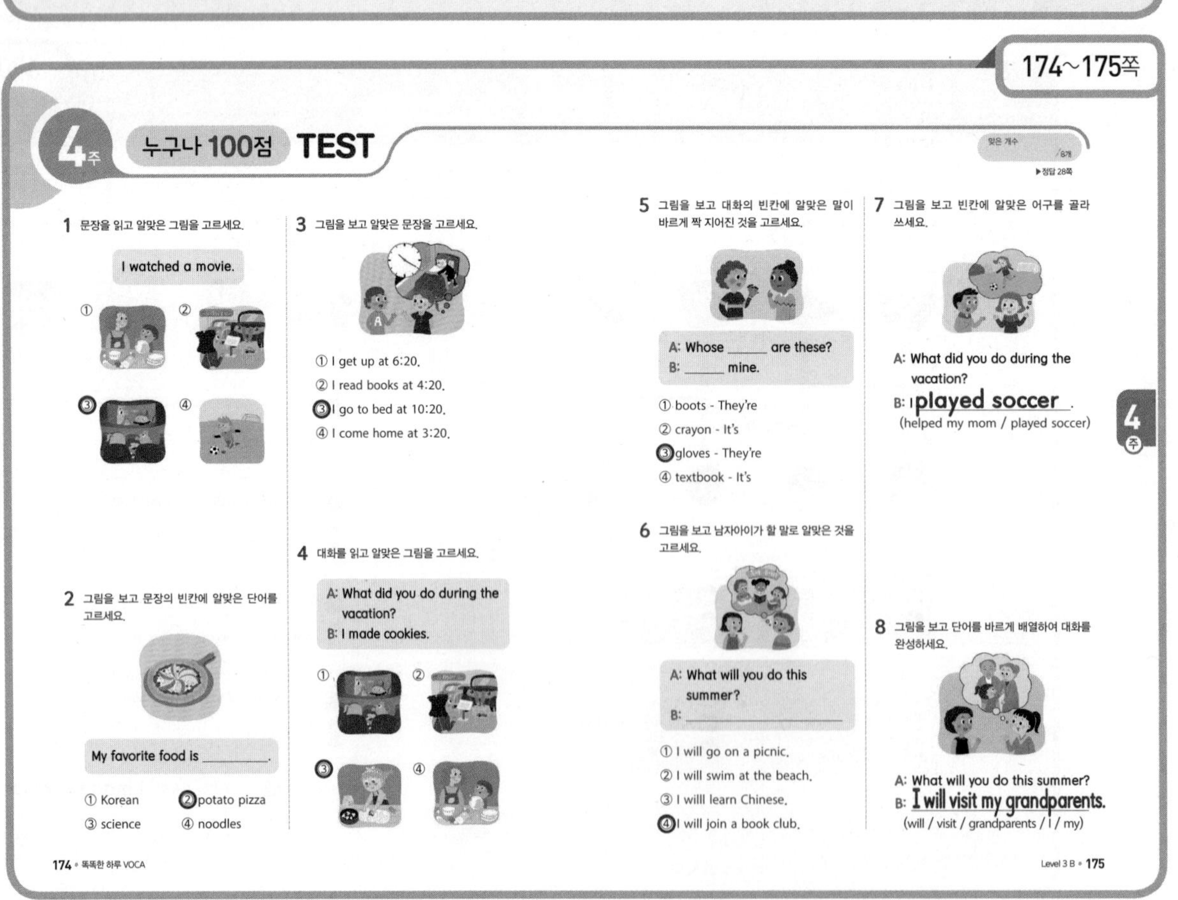

정답은
이안에
있어!

수학 전문 교재

- 연산 학습
  - 빅터연산 — 예비초~6학년, 총 20권
  - 창의융합 빅터연산 — 예비초~4학년, 총 16권
- 개념 학습
  - 개념클릭 해법수학 — 1~6학년, 학기용
- 수준별 수학 전문서
  - 해결의법칙(개념/유형/응용) — 1~6학년, 학기용
- 서술형·문장제 문제해결서
  - 수학도 독해가 힘이다 — 1~6학년, 학기용
  - 초등 문해력 독해가 힘이다 문장제편 — 1~6학년, 단계별
- 단원평가 대비
  - 수학 단원평가 — 1~6학년, 학기용
- 단기완성 학습
  - 초등 수학전략 — 1~6학년, 학기용
- 상위권 학습
  - 최고수준S — 1~6학년, 학기용
  - 최고수준 수학 — 1~6학년, 학기용
  - 최강 TOT 수학 — 1~6학년, 학년용
- 경시대회 대비
  - 해법 수학경시대회 기출문제 — 1~6학년, 학기용

국가수준 시험 대비 교재

- 해법 기초학력 진단평가 문제집 — 2~6학년·중1 신입생, 총 6권
- 국가수준 학업성취도평가 문제집 — 6학년

예비 중등 교재

- 해법 반편성 배치고사 예상문제 — 6학년
- 해법 신입생 시리즈(수학/영어) — 6학년

맞춤형 학교 시험대비 교재

- 열공 전과목 단원평가 — 1~6학년, 학기용(1학기 2~6년)

한자 교재

- 해법 NEW 한자능력검정시험 자격증 한번에 따기 — 6~3급, 총 8권
- 씽씽 한자 자격시험 — 8~7급, 총 2권
- 한자전략 — 1~6학년, 총 6단계

배움으로 행복한 내일을 꿈꾸는

천재교육 커뮤니티 안내

교재 안내부터 구매까지 한 번에!

천재교육 홈페이지

자사가 발행하는 참고서, 교과서에 대한 소개는 물론
도서 구매도 할 수 있습니다. 회원에게 지급되는 별을 모아
다양한 상품 응모에도 도전해 보세요!

다양한 교육 꿀팁에 깜짝 이벤트는 덤!

천재교육 인스타그램

천재교육의 새롭고 중요한 소식을 가장 먼저 접하고 싶다면?
천재교육 인스타그램 팔로우가 필수!
깜짝 이벤트도 수시로 진행되니 놓치지 마세요!

수업이 편리해지는

천재교육 ACA 사이트

오직 선생님만을 위한, 천재교육 모든 교재에 대한 정보가 담긴
아카 사이트에서는 다양한 수업자료 및 부가 자료는 물론
시험 출제에 필요한 문제도 다운로드하실 수 있습니다.

https://aca.chunjae.co.kr

천재교육을 사랑하는 샘들의 모임

천사샘

학원 강사, 공부방 선생님이시라면 누구나 가입할 수 있는 천사샘!
교재 개발 및 평가를 통해 교재 검토진으로 참여할 수 있는 기회는 물론
다양한 교사용 교재 증정 이벤트가 선생님을 기다립니다.

아이와 함께 성장하는 학부모들의 모임공간

튠맘 학습연구소

튠맘 학습연구소는 초·중등 학부모를 대상으로 다양한 이벤트와 함께
교재 리뷰 및 학습 정보를 제공하는 네이버 카페입니다.
초등학생, 중학생 자녀를 둔 학부모님이라면 튠맘 학습연구소로 오세요!